Virginia Trueba Mira

EL CLAROSCURO DE LAS LUCES

Escritoras de la Ilustración española

MONTESINOS

ENSAYO

La presente obra ha sido editada con subvención del Instituto de la Mujer
(Ministerio de Trabajo y Asuntos Sociales)

Edición propiedad de Ediciones de Intervención Cultural
Diseño: M. R. Cabot
ISBN: 84-96356-42-6
Depósito legal: B-31112-2005
Imprime Novagràfik, SA
Impreso en España
Printed in Spain

INTRODUCCIÓN

En dos sentidos puede decirse que es estrecha la relación de las mujeres —siempre de clases medias y altas— con el siglo XVIII: las mujeres son por un lado objeto preferente de reflexión en los discursos de moralistas, políticos, economistas, médicos, escritores... y, al mismo tiempo, constituyen por vez primera en la historia un colectivo laico de sujetos públicos, activos y partícipes del propio pensamiento del siglo. De ambas cuestiones se tratará en este libro, con especial atención a las escritoras españolas que, en el último tercio del siglo XVIII sobre todo, tomaron la pluma e hicieron oír sus voces en el mundo de las letras que, en principio, no les tenía reservado ningún sitio. Antes de nada, no obstante, conviene precisar el lugar desde el que va a estudiarse aquí esta escritura de mujeres.

Para empezar, hay que referirse a la propia Ilustración española. Como se sabe, el XVIII es el siglo crítico por excelencia que inicia lo que se ha convenido en llamar Modernidad. Gracias al ejercicio de su propia razón, el hombre sale en ese momento, de acuerdo a la conocida definición kantiana, de la minoría de edad en que ha estado sumido en los siglos anteriores, muy en especial debido a una religión que le ha dado la vida explicada impidiéndole en consecuencia obtener la verdad a partir de sí mismo. Utilizando las palabras de Horkheimer y Adorno en ese polémico libro titulado *Dialéctica de la*

Ilustración, puede sostenerse que "la Ilustración, en el más amplio sentido de pensamiento en continuo progreso, ha perseguido desde siempre el objetivo de liberar a los hombres del miedo y constituirlos en señores" (59). *Sapere aude* fue el lema de la Ilustración, tal como lo postula Kant en 1784.

Tal proyecto emancipatorio, que culminará radicalizado en la libertad, igualdad y fraternidad revolucionarias, hubo de enfrentarse desde el principio a no pocos obstáculos e impedimentos. Si esto fue así en toda Europa, más todavía en España, donde el arraigo de ciertos poderes eclesiásticos y nobiliarios intenta bloquear sistemáticamente cualquier tentativa de cambio. Ahora bien, la existencia de estas dificultades no debe llevar a una negación de la Ilustración española, más bien debe hacer tomar conciencia de los rasgos peculiares que adquiere en nuestro país y que llevan poniendo de relieve durante años autores como Jean Sarrailh, François López o José Antonio Maravall. Este último ha recordado la reflexión de uno de los más destacados ilustrados españoles, Melchor Gaspar de Jovellanos, que permite una justa valoración de la aportación española al siglo de las Luces: "No basta ver adónde se debe llegar —advierte Jovellanos—; es preciso no perder de vista el punto de que se parte" (424). Teniendo esto presente, es decir, los escollos que hubo de salvar la Ilustración en España, hay que reconocer el meritorio esfuerzo civilizatorio de esas figuras que, en especial durante el reinado de Carlos III (1759-1788), lograron desentumecer una parte de la sociedad española y proyectarla hacia vías de progreso —quedó, no obstante, mucho por hacer, como demuestran numerosos textos aparecidos tras la muerte del monarca, en los que se apunta la necesidad de llevar a cabo las reformas pendientes—, figuras como el conde de Aranda, Pablo de Olavide, Pedro Rodríguez de Campomanes, Francisco de Cabarrús, el conde de

Floridablanca, el mismo Jovellanos, y en el campo más específico de las artes y las letras, Francisco de Goya, Leandro Fernández de Moratín, Tomás de Iriarte, José Cadalso, Juan Meléndez Valdés... No sería justo ignorar a otros hombres que, antes de los mencionados, fueron forjando el camino hacia el desarrollo pleno de la Ilustración en España: ya desde 1680, aquéllos integrados en el grupo de los llamados "novatores" y, pasado el tiempo, esos dos gigantes de nuestras letras que fueron, en la primera mitad del XVIII, Benito Jerónimo Feijóo y Gregorio Mayans. Si bien es cierto que en los últimos años del reinado de Carlos III, éste se muestra demasiado complaciente con el clero y el estamento nobiliario dando lugar a que numerosos intelectuales se distancien ideológicamente de la política del monarca, es en 1789 cuando aquel progreso encuentra más serios problemas. Es, no obstante, en torno a esas fechas y hasta principios del XIX, cuando las escritoras en que aquí nos detendremos se incorporan a las letras españolas.

Coincide el año de la Revolución con los primeros momentos del reinado de Carlos IV. Desde el sur de Francia empiezan a introducirse en la Península octavillas, pasquines, panfletos... con el propósito de contagiar el fervor revolucionario. El nuevo gobierno se entrega con tesón a sofocar tal situación. El ministro Floridablanca instaura con la ayuda del Tribunal de la Inquisición el llamado "cordón sanitario". Se clausura todo tipo de prensa periódica que no sea oficial. Se prohibe la docencia universitaria de ciertas materias consideradas peligrosas. Se intenta, pues, poner freno a todo aquello que haga peligrar los pilares de un Estado, todavía muy *Antiguo Régimen*. La pintura de Goya reflejará las dramáticas consecuencias de esta política. Los textos ilustrados deben convivir ahora con textos conservadores y reaccionarios que encuentran vía libre para su difusión. No obstante, hasta 1808 y la Guerra de la Independencia puede hablarse todavía de una Ilustración española, con la particularidad de cierto desconcierto entre numerosos ilustrados ante el nuevo escenario político. La mayoría de ellos han sido reformistas, no revolucionarios. No pueden, en consecuencia, apoyar la Revolución, ante la que algunos retroceden verdaderamente asustados, aunque tampoco están dispuestos a apoyar a las fuerzas represoras españolas. La invasión napoleónica crea igualmente una importante tensión en todos ellos. Próximos como se han sentido desde siempre al pensamiento enciclopedista y a la misma Francia, algunos consienten la invasión, otros, sin embargo, no pueden aceptarla aunque ello les suponga modificar su propio pensamiento y empezar a reconocer el derecho del pueblo a la elección, es decir, un espíritu democrático al que el liberalismo del Cádiz de las Cortes daría voz.

La otra cuestión previa que conviene apuntar aquí es relativa a la perspectiva desde la que se abordará el contenido de las obras de las escritoras españolas. Cuando Madame de Staël, una de las más célebres mujeres de la Francia del XVIII, sostenga que la Ilustración necesita sanarse con más Ilustración, está constatando la enfermedad de la propia Razón ilustrada, es decir, sus propias limitaciones, las cuales desdicen o contradicen el supuesto carácter universal que el siglo le ha conferido. Es una enfermedad que adquirirá plena carta de naturaleza en la declaración de los Derechos del Hombre tras la Revolución Francesa porque, entre otros matices, "hombre" debe entenderse sólo en masculino. *La Enciclopedia* es clara al respecto: "No se concede este título a las mujeres, niños o servidores más que como miembros de la familia del ciudadano propiamente dicho, pero no son verdaderos ciudadanos" (Diderot/D'Alembert:16). O, en palabras del conde de Lanjuinais, diputado del tercer estado y representante del Comité de Legislación, en abril de 1793: "Así pues, los niños, los deficientes mentales, los menores de edad, las mujeres, los condenados a pena aflictiva o infamante [...] no podrían ser considerados como ciudadanos" (Duhet:162). Las mujeres quedan, pues, excluidas, entre otros colectivos, de los logros de la Revolución pese a haber participado activamente en ella. La exclusión no consigue, no obstante, silenciarlas. En el diario femenino *Étrennes Nationales des Dames* puede leerse la siguiente declaración: "Habéis vencido al hacer conocer al pueblo su fuerza, al preguntarle si veintitrés millones cuatrocientas mil almas debían estar sometidas a las voluntades... de cien mil familias privilegiadas. ¿En esta masa enorme de oprimidos, no era la mitad al menos de sexo femenino? ¿Y esa mitad debe ser excluida, cuando tiene los mismos méritos, del gobierno que hemos retirado a quienes abusaban de él?" (Puleo:136). Palabras similares se suceden en la prensa y en mujeres como Théroigne de Méricourt o Olympe de Gouges, autora de *Declaración de los Derechos de la Mujer y de la Ciudadanía* (1791), lo que le costaría la vida en el cadalso. No hay que buscar declaraciones similares en las mujeres españolas. La cuestión política tardará muchos años en plantearse en nuestro país. Lo que sí se encuentra en ellas es conciencia de una diferencia social y, sobre todo, educacional que limita sus propias posibilidades de desarrollo. Desde esta perspectiva se estudia precisamente a esas ilustradas en el presente libro, puesto que de ella partirán a la hora de escribir sobre los asuntos que importaron a todo el siglo. Ellas fueron las que de un modo u otro, más o menos radical, más o menos explícito, denunciaron las propias fisuras del concepto de Razón aplicadas al colectivo femenino, la "sinrazón de la razón ilustrada" en expresión de Celia Amorós.

Declaración de los derechos de la Mujer y de la Ciudadanía (1791) por Olympe de Gouges

I

La Mujer nace libre y permanece igual al Hombre en derechos. Las distinciones sociales sólo pueden estar fundadas en la utilidad común.

II

El objetivo de toda asociación política es la conservación de los derechos naturales e imprescriptibles de la Mujer y del Hombre; estos derechos son la libertad, la propiedad, la seguridad y, sobre todo, la resistencia a la opresión.

III

El principio de toda soberanía reside esencialmente en la Nación, que no es más que la reunión de la Mujer y el Hombre: ningún cuerpo, ningún individuo, puede ejercer autoridad que no emane de ellos.

IV

La libertad y la justicia consisten en devolver todo lo que pertenece a los otros; así, el ejercicio de los derechos naturales de la Mujer sólo tiene por límites la tiranía perpetua que el hombre le opone; estos límites deben ser corregidos por las leyes de la naturaleza y de la razón.

VI

La ley debe ser la expresión de la voluntad general; todas las Ciudadanas y Ciudadanos deben participar en su formación personalmente o por medio de sus representantes. Debe ser la misma para todos [...]

X

Nadie debe ser molestado por sus opiniones, incluso fundamentales; la Mujer tiene el derecho de subir al cadalso; debe tener igualmente el de subir a la Tribuna con tal que sus manifestaciones no alteren el orden público establecido por la Ley.

XVI

Toda sociedad en la que la garantía de los derechos no esté asegurada, ni la separación de los poderes determinada, no tiene constitución; la constitución es nula si la mayoría de los individuos que componen la Nación no ha ncooperado en su redacción.

(Alicia H. Puleo: 156-159)

El primer capítulo de este libro está dedicado a establecer el modo en que a través del concepto de Razón es definida la mujer del XVIII. La respuesta que obtuvo por parte de las propias mujeres es lo que va a ocupar el resto de capítulos. El segundo está dedicado a los trabajos que en el ámbito público realizaron algunas de esas mujeres, y el resto de los capítulos a estudiar las aportaciones de las propias escritoras desde los distintos géneros literarios que cultivaron: Josefa Amar el ensayo, Inés Joyes la traducción, Rosa Gálvez el teatro y Margarita Hickey la poesía. Debe advertirse que no se ha pretendido aquí trazar la nómina completa de las escritoras de fines del XVIII. Por fortuna en la actualidad contamos con repertorios muy exhaustivos. Algunos son antiguos pero todavía válidos, como en especial el de M. Serrano y Sanz (1903-1905). Los más próximos y también más accesibles son los de C. Galerstein (1986), L.C. Gould Levine (1993) o C. Ruiz Guerrero (1997). Emilio Palacios ha escrito recientemente un libro muy útil donde puede encontrarse un panorama general y riguroso de la mujer y las letras en la España del XVIII (2002). No va a tratarse aquí, pues, de todas las mujeres que escribieron en el siglo XVIII, pero sí de aquéllas cuyos textos, más que otros, ofrecen al tiempo un interés histórico y una calidad estética destacable.

I

LA CONSTRUCCIÓN DE LA MUJER: INFERIORIDAD, COMPLEMENTARIEDAD, IGUALDAD

> ¿Tenéis alguna noción de cuántos libros se escriben al año sobre las mujeres? ¿Tenéis alguna noción de cuántos están escritos por hombres? ¿Os dais cuenta de que sois quizás el animal más discutido del universo? [...] Hasta los títulos me hacían reflexionar. Era lógico que la sexualidad y su naturaleza atrajera a médicos y biólogos; pero lo sorprendente y difícil de explicar es que la sexualidad —es decir las mujeres— también atrae a agradables ensayistas, novelistas de pluma ligera, muchachos que han hecho una licencia, hombres que no han hecho ninguna licencia, hombres sin más calificación aparente que la de no ser mujeres
>
> (VIRGINIA WOOLF, *Una habitación propia*)

Las mujeres, o mejor, la mujer es protagonista de muchos de los discursos que ven la luz en el siglo XVIII, a través de los cuales se define su naturaleza y, muy en especial, su función social. Se trata en muchos casos de recordarle a la mujer quién es la mujer para, acto seguido, señalarle su papel y utilidad en la nueva sociedad que está emergiendo. De entre todos esos discursos, hay uno que destaca sobre los demás por la calidad científica y objetiva que le confiere el nuevo siglo: el discurso médico. Garante de la verdad, el discurso médico no se cuestiona, se acata, aunque como sostiene Elisabeth Badinter muchas mujeres se lo pensaron dos veces antes de poner en práctica el *test* de sacrificio que se les proponía (165).

El discurso médico sobre las mujeres existía desde hacía siglos. En la Grecia antigua, Claudio Galeno había considerado que hombres y mujeres se asemejaban desde el punto de vista anatómico, aunque con la particularidad de que la mujer era algo así como un hombre imperfecto, como una versión disminuida del modelo perfecto que era el masculino. Así, el útero, receptáculo de una supuesta esencia femenina, quedaba convertido en una especie de pene metido hacia dentro. En el siglo XVIII dicha teoría ha evolucionado, aunque pocas variaciones sufren las ideas acerca de los humores que venían también de antiguo y a través de los cuales se explicaba el temperamento de hombres y mujeres. A éstas les tocaba en el reparto la inestabilidad, el nerviosismo y la sensibilidad, con el añadido de la inmoralidad o cierto espíritu vengativo, debido todo ello (y más) a la debilidad de sus huesos y fibras, y al carácter húmedo y frío de sus humores. Por supuesto, estaban incapacitadas para el raciocinio. En el XVIII ya no se puede con convencimiento seguir defendiéndose la inferioridad de las mujeres, de ahí que empiece a hablarse de una diferencia complementaria que, sin embargo, seguirá identificando el sexo de la mujer con todo su cuerpo, incluido el cerebro. La mujer continua siendo su sexo. El sexo. Con tendencia natural al desbordamiento y la ferocidad, a la insumisión. La misma Reina María Antonieta —a quien Olympe de Gouges dedicaría en 1791 su *Declaración de los Derechos de la Mujer y de la Ciudadanía*— fue acusada los días previos a la Revolución de inmoral, promiscua, de tender al lesbianismo y de practicar relaciones incestuosas con su hijo. Numerosos panfletos que corrieron aquellos días pintaban a las mujeres revolucionarias en actitudes lascivas con los soldados. A finales del XIX, Cesare Lombroso, el antropólogo y penalista italiano, hablaría de la prostitución como una natural derivación de la degeneración femenina lo que, por cierto, fue incorporado al código penal italiano (Caine/Sluga:121). En España se podría recordar a la reina María Luisa, quizás una mala gobernante pero, sobre todo a juicio de sus detractores, una mujer que padecía de incontinencia sexual (Pérez Antelo:236).

Ahora bien, para numerosos especialistas tal naturaleza indómita puede corregirse a través de una adecuada educación que permita a la mujer transcender ese estado natural y convertirse en lo que también —paradojas del discurso— naturalmente es la mujer: una madre, es decir, convertirse en sexo socializado, aunque ni siquiera en este caso accede al estado civil de ciudadana, al *contrato social*, ya que por su cercanía a los niños, entre otras cosas, sigue vinculada a un cierto estado de niñez, o sea, a un estado prepolítico o precívico. Conocidas son las leyes maritales de numerosos países aún en el XVIII de acuerdo a las cuales la mujer carecía de toda potestad, ni siquiera sobre sus propios hijos. Carece, en definitiva, de razón, de razón teórica, de razón pura, ya que la suya es en todo caso una razón práctica: la mujer posee, como ha escrito Geneviève Fraisse, la "ciencia de los medios, no de los fines" (32). Por eso también sigue asociada a imágenes del mundo animal, como en este texto del médico Gilibert hacia 1770:

> "Observad a los animales, aunque las madres tengan desgarradas las entrañas [...] aunque sus crías les hayan causado todos estos males, sus primeros cuidados les hacen olvidar todo lo que han sufrido [...] Se olvidan de sí mismas, les preocupa poco su bienestar [...] ¿De dónde proviene ese instinto invencible y general? De aquel que ha creado todo" (Badinter:154).

Puede observarse cómo el concepto de "naturaleza", el paradigma legitimador en el pensamiento del XVIII, aplicado a la mujer entre otros colectivos, se convierte en especialmente difícil y contradictorio. Lo ha explicado muy bien Celia Amorós (150-155) en relación a uno de los autores del XVIII más firme defensor de la teoría de la complementariedad de los sexos, Jean-Jacques Rousseau, sobre todo en esa obra tan bien conocida en la Europa del momento, *Emile* (1762), en la que Rousseau expone la que sería, a su juicio, la adecuada y la natural educación para el personaje de Emilio. El libro V está dedicado a la educación de la compañera de Emilio, Sofía, libro polémico al que precisamente responderá Mary Wollstonecraft en 1792 en su *Vindicación de los derechos de la mujer*, uno de los textos, junto al ya citado de Olympe de Gouges, fundadores de lo que será el feminismo en el siguiente siglo. Es cierto que en 1764 el conjunto de la obra rousseauniana fue prohibido en España pero, como han estudiado diversos autores, sus textos fueron conocidos e incluso traducidos, en ocasiones en la propia prensa del momento, verdadera plataforma de proyección de muchas de las ideas que conforman el pensamiento de aquel siglo (Bolufer:1998:75).

También Rousseau identifica a la mujer con su sexo. Por eso puede escribir que "el macho sólo es macho en ciertos instantes, mientras la hembra es hembra toda su vida o al menos toda su juventud; todo la remite sin cesar a su sexo" (539). Se trata de un sexo destinado a la procreación, que se materializa con plenitud, sexo socializado, en la figura de la madre: "Las mujeres, decís, no siempre tienen niños, pero su destino propio es tenerlos" (540). Es en esa diferencia donde radica para Rousseau la complementariedad femenina, ya que "en todo lo que no atañe al sexo, la mujer es hombre" (534). La mujer madre es, pues, la tautológica mujer-mujer, cuya función diferenciada no termina tras el parto puesto que toda su vida debe referirse a los hombres: "agradarles, serles útiles, hacerse amar y honrar por ellos, educarlos de jóvenes, cuidarlos de adultos, aconsejarlos, consolarlos, hacerles la vida agradable y dulce: he ahí los deberes de las mujeres en todo tiempo, y lo que debe

INDICACIÓN DE LOS DERECHOS DE LA MUJER (1792)
POR MARY WOLLSTONECRAFT

Espero que mi propio sexo me excuse si trato a las mujeres como criaturas racionales en vez de hacer gala de sus gracias *fascinantes* y considerarlas como si se encontraran en un estado de infancia perpetua, incapaces de valerse por sí solas. Deseo de veras señalar en qué consiste la verdadera dignidad y felicidad humana. Quiero persuadir a las mujeres para que traten de conseguir fortaleza, tanto de mente como de cuerpo, y convencerlas de que las frases suaves, el corazón impresionable, la delicadeza de sentimientos y el gusto refinado son casi sinónimos de epítetos de la debilidad [...]

Luego al desechar esas preciosas frases femeninas que los hombres usan con condescendencia para suavizar nuestra dependencia servil y al desdeñar esa mente elegante y débil, esa sensibilidad exquisita y los modales suaves y dóciles que supuestamente constituyen las características sexuales del recipiente más frágil, deseo mostrar que la elegancia es inferior a la virtud, que el primer objetivo de una ambición laudable es obtener el carácter de un ser humano, sin tener en cuenta la distinción de sexo [...]

La instrucción que han recibido las mujeres hasta ahora sólo ha tendido, con la implantación de la sociedad cortés, a convertirlas en objetos insignificantes del deseo —¡meras propagadoras de necios!— [...] Si puede probarse que al pretender adiestrarlas sin cultivar sus entendimientos se las saca de la esfera de sus deberes y se las hace ridículas e inútiles cuando pasa el breve florecimiento de la belleza, doy por sentado que los hombres *racionales* me excusarán por intentar persuadirlas para que se vuelvan más masculinas y respetables.

(Mary Wollstonecraft: 102-103-104)

enseñárseles desde su infancia" (545). Queda, pues, definida la relación de complementariedad de los sexos. El horizonte del hombre es el mundo entero, el de la mujer el propio hombre. Interesa insistir en que tales ideas vienen dictadas para Rousseau por la propia naturaleza. Él mismo lo expone del siguiente modo: "La misma rigidez de los deberes relativos de los dos sexos ni es ni puede ser la misma. Cuando la mujer se queja de la injusta desigualdad que en este punto han puesto los hombres, se equivoca; esa desigualdad no es una institución humana, o al menos no es obra del prejuicio sino de la razón: aquel al que la naturaleza ha encargado es quien debe responder al otro de ese depósito de los niños" (539). No se trata, pues, para Rousseau de imponer nada a la mujer, de predicarle sacrificio alguno sino de instarle a no olvidar esa condición que hace de ella una auténtica mujer y que le garantiza, además, la única felicidad posible. El problema para Rousseau, como para otros autores, entre ellos el influyente Fenelón, cuya obra *De l'éducation des filles* (1687) vio a fines del XVIII varias versiones castellanas en España, se encuentra en esas mujeres olvidadizas de sí mismas, ignorantes de su propia definición, equivocadas respecto de su destino, aquéllas en las que su naturaleza no es racionalidad sino pura sinrazón. Esas mujeres son las destinatarias en el fondo del discurso rousseauniano que, de ese modo, deviene un discurso polémico puesto que no se limita a describir una realidad existente sino que pretende convencer y persuadir, es decir, crear una realidad. Todo ello bajo la coartada de un determinado concepto de racionalidad y de naturaleza de pretensiones universalistas y, como se ha visto, altamente contradictorio que lleva, por ejemplo, a un novelista español como Mor de Fuentes en *La Serafina* (1798) a la siguiente definición (imposible) de la mujer: "La muger, en mi concepto, es el mejor o el peor de los vivientes, no tanto por el atractivo o disformidad de su exterior, como por las dotes inestimables o desbarros frenéticos de su espíritu" (Bolufer:1998:279). Lo que demuestra, entre otras cosas, el discurso de Rousseau y otros muchos es que numerosas mujeres marginaban la centralidad en que se las quería situar. La realidad se rebelaba contra la idea. Muchas mujeres serán, así, las excéntricas de la tradición, entre ellas las que en el XVIII denunciarán este claroscuro de las luces.

No sólo es Rousseau sino otros muchos autores los que escriben en el XVIII tratados educativos para mujeres, respaldando sus ideas en los cimientos que el propio cientificismo médico les ofrecía. Muchos se traducen en España, otros son escritos por los mismos españoles (Bolufer:1998:117-129). En este contexto, el discurso higiénico iba a servir de eficaz complemento al encargarse de dictar normas concretas de conducta. Así es cómo ha definido Fraisse el higienismo:

> "La higiene tiene un doble objetivo: se relaciona con el cuidado doméstico, mantenimiento del cuerpo y cuidado de su funcionamiento, y con el cuidado estético o trabajo de la belleza [...] La higiene es también ese control que antes de ser social, más avanzado el siglo, es el ejercicio apropiado para disciplinar la naturaleza femenina [...] La higiene es justamente el concepto que indica de qué manera, la mujer, reproductora de la especie, participa en el movimiento de la civilización" (96).

Dentro de este discurso, un capítulo particular es el de la obsesiva preocupación por la lactancia materna, cuyo olvido podía acarrear las peores consecuencias para la mujer como muestra el siguiente texto del médico barcelonés Jaime Bonells, que iniciará los estudios de puericultura en España y escribirá *Perjuicios que acarrean al género humano y al estado las madres que rehusan criar a sus hijos, y medios para contener el abuso de ponerlos en Ama* (1786):

> "Básteles saber [a las paridas], en general, que las enfermedades de la piel procedentes de la leche, sobre los dolores, comezones, inapetencias, indigestiones, náuseas, vigilias, hinchazones, etc., que ocasionan, llenan el cuerpo de pústulas, granos, manchas, asperidades, grietas, costras asquerosas, úlceras hediondas, y por último una especie de lepra que transforma en monstruos horrendos a las mugeres más hermosas" (Bolufer:1993: 180).

Las mujeres que no amamantaban se convertían en madres desnaturalizadas que acababan pagando su desviación con la muerte repentina o enfermedades como el cáncer. El malograr la leche de la madre traía las mismas consecuencias de las que hablaba el influyente Tissot al referirse al derroche del esperma en la masturbación: debilitamiento y alteración de los humores. El XVIII seguía identificando la leche con la sangre y considerando que a través de la primera se transmitía no sólo un alimento físico sino también moral. Teólogos y moralistas se sumaban con rapidez a este discurso médico, añadiendo las connotaciones pecaminosas para esas madres olvidadizas o inconscientes. El respeto por el higienismo garantizaba de nuevo la felicidad. En los años setenta del XVIII, Prost de Royer, el lugarteniente de policía de París, describía del siguiente modo a las buenas madres:

> "La voz de la naturaleza se ha hecho escuchar en el corazón de algunas jóvenes... Lo han sacrificado todo: placeres, encanto, reposo. Pero que digan si las inquietudes y privaciones de su estado no son un placer equiparable a

los del amor. Que nos describan las dulces emociones que experimenta una madre que da el pecho, cuando el niño que succiona parece darle las gracias con sus sonrisas y los movimientos de sus brazos" (Badinter:159).

La palabra "felicidad", que ya hemos mencionado otras veces, recorre los textos del XVIII, sólo que es únicamente a los propios ilustrados a los que es dado indicar dónde y de qué modo puede hallarse. No es otro el sentido de la siguiente reflexión del conocido político, filólogo e historiador, Antonio Capmany: "El hombre conoce a veces tan poco sus intereses que es menester obligarle a ser feliz, para que ame la felicidad" (Maravall:264). También a las mujeres hay que obligarlas, hacerles saber que sólo hallarán la felicidad haciendo felices a los demás y ocupando el lugar que les corresponde: el de la domesticidad. Hay que insistir en ello: la mujer no es inferior, es complemento imprescindible de la vida del hombre. Su papel no es secundario sino fundamental: a ella corresponde el *gobierno* de aquella domesticidad. El paso hacia el concepto de "ama de casa" decimonónico ha quedado dado. Así lo demuestran también, entre otras, estas elocuentes palabras de 1786 de Francisco de Cabarrús, en las que queda esbozado el siguiente retrato de una *señora*:

"He visto varias veces, ¡y con qué veneración, con qué entusiasmo!, una señora que, después de distribuir todas las horas del día entre la religión y la naturaleza, estaba por las noches rodeada de su madre, de sus hermanos, de su marido y de sus hijos, aún tiernos, criando por sí misma uno de ellos: en su semblante reinaba la inocente alegría, premio y compañera de la virtud, la paz, la unión, el respeto y el amor de cuantos la acompañan, la recompensan superabundantemente de los frívolos e insulsos pasatiempos que ha despreciado" (Negrín Fajardo:153).

La identificación de la mujer con ese instinto maternal y esa especial sensibilidad es continua en el XVIII, quedando con firmeza instalada en gran parte de la conciencia del XIX. Un autor como Jovellanos termina el "Elogio de Carlos III" de 1788 dirigiéndose a las mujeres con las siguientes palabras:

> "Sí, ilustres compañeras, sí, yo os lo aseguro: y la voz del defensor de los derechos de vuestro sexo no debe seros sospechosa; yo os lo repito, a vosotras toca formar el corazón de los ciudadanos. Inspirad en ellos aquellas tiernas afecciones a que están unidos el bien y la dicha de la humanidad: inspiradles la sensibilidad, esta amable virtud que vosotras recibisteis de la naturaleza, y que el hombre alcanza apenas a fuerza de reflexión y de estudio" (312).

Estas reflexiones, de pretensión y apariencia alentadora, podían llegar a tener en algunos momentos consecuencias verdaderamente dramáticas para aquellas mujeres —las excéntricas— que se desviaran de la imagen convencional construida para ellas que no contemplaba, por supuesto, su dedicación al mundo de las letras o de la política, es decir, al discurso público. Así ocurrió para muchas de aquéllas que participaron en la Revolución Francesa, entre ellas, Jean-Marie Roland, detenida en 1793 junto a los girondinos, y en cuyo informe de ejecución pudo leerse lo siguiente: "El deseo de acumular conocimientos la llevó al olvido de las virtudes propias de su sexo, y este olvido, siempre peligroso, acabó por conducirla al cadalso" (Duhet:204). *Le Moniteur* del 19 de noviembre de 1793, en un texto anónimo refiriéndose a Olympe de Gouges, advertía a las francesas: "Quiso ser un hombre de Estado y parece que la ley haya castigado a esa conspiradora por haber olvidado las virtudes propias de su sexo" (Duhet:82).

Pasemos ahora a detenernos en otra cuestión que tiene que ver con el porqué proliferan a lo largo del XVIII todos los discursos mencionados. Más allá de los lugares comunes aplicados a las mujeres desde antiguo, todos esos discursos deben relacionarse con ciertos cambios que las mujeres españolas y europeas del momento están protagonizando y que no se dirigen precisamente hacia la domesticidad que predica el siglo. Carmen Martin Gaite lo ha explicado con las siguientes palabras: "las mujeres de toda Europa se aburrían. No se aburrían más que en otras épocas, pero sí —y esto es lo típico del siglo XVIII— lo empezaban a saber, a sentirse incómodas y a rebelarse contra ello: necesitaban llenar su ocio como fuera" (19). Se entiende, claro, el ocio de mujeres de clases medias y altas. Empiezan, pues, algunas mujeres del XVIII a resarcirse de la pata quebrada y la casa. A practicar incluso en ocasiones la "marcialidad" o el "despejo" como se decía entonces, es decir, a hacer lo que les da la gana. Desde el punto de vista de la historia de las mujeres hay que reconocer que en parte éstas vuelven a convertirse entonces en ídolos y objetos, en "atontadas mariposas" como las llamaría un autor de la época. En bobas petimetras. Ahora bien, como ha escrito Mónica Bolufer, también es cierto que "ofreció a una reducida élite de mujeres posibilidades nuevas de elección, trato y refinado galanteo" (1998:267).

Por vez primera de modo colectivo, nos encontramos con mujeres que salen de sus hogares, se dejan ver en los paseos, organizan luego tertulias en sus propias casas que acaban en ocasiones en baile y divertimento, van a los toros o al teatro o a la ópera. En una palabra, se distraen. Es una distracción pública que obliga a cuidar con esmero las formas externas de lucimiento. Un viajero inglés, Joseph Townsend, refería del siguiente modo su sorpresa ante cierto espectáculo observado en Madrid:

> "Montan en carroza para ir a dejarse ver al Prado, donde los coches van al paso. Como se mueven en la misma dirección, cada uno mira a los que vienen en el otro sentido y saluda a sus conocidos cuando pasan. A veces llegué a contar cuatrocientos coches, y hasta dos horas se puede tardar en hacer una milla" (Martín Gaite: 36).

El hecho de recibir en casa después del paseo también supuso decorar el espacio doméstico con todo tipo de objetos a través de los cuales se buscaba la belleza y el confort, tales como bañeras, sábanas de tejidos especiales, camas suntuosas, sillones para conversar, etc. Capítulo especial merecería lo relativo a la indumentaria que muchas de esas mujeres mimaron hasta la exageración. Las modas han cambiado y, así, se imponen sofisticadas y exquisitas basquiñas, mantillas, manteletas, enaguas o deshabillés, muchas de ellas de gusto francés. Se bajan los escotes, se suben los vestidos, lo que conlleva el cuidado de las medias y de los zapatos. Martín Gaite cuenta que Cayetana de Alba estrenaba cada día un par de ellos (48). Se contratan asimismo peluqueros para conformar refinados e inverosímiles peinados.

Es en este contexto de incipiente consumismo donde aparece una de las prácticas más curiosas del siglo que afectaba con exclusividad a las mujeres casadas: el cortejo. De nuevo, es Martín Gaite quien lo ha definido:

> "Las señoras casadas, que hasta finales del siglo prece-

> dente habían aceptado o fingido aceptar sin apenas asomos de rebeldía el código del honor matrimonial que enorgullecía al país, podían ahora tener un amigo cuya función era la de asistir a su tocador, darle consejos de belleza, acompañarlas al teatro y a la iglesia, traerles regalos y conversar con ellas, es decir, hacerles caso" (XIV).

La esencia del cortejo es la indeterminación, pero con el tiempo derivó en puro adulterio. Todo un lenguaje galante y secreto recorría el aire. Fernández Quintanilla recuerda cómo en las propias iglesias se empleaban las tapas de los misales como "un verdadero telégrafo Morse *avant la lettre*" (23). Lo mismo cabe decir de los abanicos, un artículo caro pero de consumo imprescindible cuyo movimiento podía convertirse en código amoroso. Isabel de Farnesio dejó una colección de 1.626 abanicos (Martín Gaite:49). Los bailes, algunos verdaderamente complicados, eran algo más que un lenguaje inocente. Véase si no la descripción final de la "contradanza del molinillo": "Concluida la rueda —cuenta un autor— se ponen [los danzantes] en su lugar, y si ocurriese que a la madamita se le fuese la cabeza con las vueltas, como sucede a las más, la tendrá [el caballero] recostada a su pecho mientras que se serene" (Martín Gaite: 40).

Más allá de cuestiones morales, las consecuencias de todo este sarao eran para muchos de signo socioeconómico. Se deriva de la situación, por ejemplo, una importante crisis de la institución matrimonial en varios sentidos. Los futuros maridos, entre otras cosas, se veían incapacitados para afrontar el gasto desmesurado que suponía ese ritmo de vida. De ahí que en ocasiones prefirieran convertirse simplemente en cortejos. No ocurría lo mismo con las mujeres, ansiosas de contraer matrimonio y poder entregarse a ese mundo lúdico, ya que las solteras seguirán siendo un cero a la izquierda. En relación a todo ello, se sumaba el problema de los hijos. Muchas de estas mujeres delegarán en las nodrizas el cuidado de los niños o reducirán drásticamente el número de embarazos, lo que puso en alerta a muchos ilustrados preocupados por la cuestión del poblacionismo y por aumentar la mano de obra productiva del país. A todo ello debe añadirse otro peligro advertido por numerosos autores. Una cultura basada en la mera apariencia fomentaba una homogeneización externa de las clases sociales que el reformismo ilustrado no está dispuesto a aceptar, como no lo estuvo tampoco la Revolución de 1789. Sumemos a este "poder allanador del dinero" (Martín Gaite: 89), el deterioro de la clase noble, convertida en un colectivo frívolo, alocado e inconsciente. Numerosos son los testimonios de mujeres de servicio escandalizadas ante lo que veían en las alcobas de sus señoras, muchas veces al mismo cortejo ayudándoles a vestirse con el consentimiento del propio marido.

Se entienden, en consecuencia, las sistemáticas críticas de diversos grupos ante este conjunto de mujeres y hombres entregados a una vida de lujo que muchos identificarán más bien con lujuria y perversión. Se hiló fino y se arremetió, por ejemplo, contra la moda de aquel rígido corsé con ballenas llamado "cotilla" que, entre otras cosas, consideraban los médicos, podía provocar esterilidad. Más arbitrarios fueron los consejos de evitar la asistencia al teatro que podía debilitar la salud de las mujeres por el ambiente enrarecido y la inmoralidad que se respiraba en los recintos cerrados. O las prevenciones contra la lectura, en especial de novelas, que alimentaba la ya viciosa imaginación y fantasía del sexo débil. Caro Baroja ha hablado, refiriéndose a cuestiones de indumentaria, de un "espíritu inquisitivo" cuya tendencia a "reglamentar" se confunde con "racionalizar" (223). Y lo que hay que destacar es que, pese a que las críticas van dirigidas a ambos sexos, en muchos casos se responsabiliza a las mujeres de este estado de decadencia. Los autores de esas críticas, en definitiva, ven confirmadas sus certezas acerca de la verdadera naturaleza de las mujeres. Lo que resulta a su vez irónico, es que todas esas mujeres adquirieron y se beneficiaron de una serie de objetos que habían puesto sobre la mesa al introducirlos desde el extranjero, en especial desde Francia, los propios hombres, muchos de los cuales, por otro lado, caían en la contradicción de criticar ese gasto y al mismo tiempo justificarlo. Adviértase la siguiente reflexión del mismo Rousseau en su *Emilio*: "¿Es culpa nuestra si nos agradan cuando son hermosas, si sus monerías nos seducen [...] si nos gusta verlas vestidas con gusto, si les dejamos afilar a capricho las armas con que nos subyugan?" (543). José Antonio Maravall ha llamado la atención sobre la antinomia entre la frugalidad defendida por muchos hombres del siglo y el fomento de la riqueza (184-185).

Contra todas estas mujeres que, en conjunto, podrían responder al nombre de *maleducadas*, clamarán la práctica totalidad de los ilustrados españoles y también de las ilustradas, insistiendo en el estado de decadencia moral y de ruina económica de la nación. Si bien en este aspecto los juicios son unánimes, las mujeres añadirán a sus reflexiones ciertos matices que diferenciarán sus discursos de los de sus colegas masculinos. En especial, se resisten a culpabilizar de modo exclusivo al colectivo femenino y apuntan con sus dardos a los propios varones, que han contribuido a la situación, sobre todo al impedir el acceso a la cultura y la educación de ese colectivo. No había sido otro el pensamiento de una autora como Sor Juana Inés de la Cruz al escribir los célebres versos un siglo antes:

"Hombres necios que acusáis
a la mujer sin razón
sin ver que sois ocasión
de lo mismo que culpáis".

Es contra este tipo de mujer que clamarán algunos hombres del siglo: contra las aún llamadas "bachilleras". Una de las versiones dieciochescas de esas bachilleras la constituirán ese grupo de mujeres francesas, verdaderas *femmes savantes* que desde sus salones parisinos ostentaron un poder de primer orden. Un Estado dentro del Estado, dijo Montesquieu de esos salones, cuya posible influencia en España queda aún por estudiar. Fueron esas mujeres las que, como deploraban muchos, estaban afeminando la sociedad francesa. Así es como lamentaba Rousseau la situación: "Vilmente obsequiosos ante la voluntad del sexo al que debemos proteger y no servir, hemos aprendido a despreciarlo sometiéndonos a él, a ultrajarlo con nuestras atenciones irrespetuosas, y cada mujer de París reúne en sus aposentos a un serrallo de hombres que son más mujeres que ella misma" (Craveri: 34). Lo que, en realidad, todas estas mujeres aportaron a la sociedad francesa fue un auténtico *art de vivre* fundado especialmente en una *sociabilité* con la que hay que relacionar la cortesía, la urbanidad, la galantería, la curiosidad intelectual, la perspicacia psicológica, el refinamiento del gusto. Ellas fueron las protagonistas de un proceso civilizador heredero, en cierta medida, de lo que habían sido las cortes italianas del Renacimiento o, más atrás en el tiempo, las cortes provenzales del medioevo. En las reuniones de sus salones se componían versos y se jugaba con los conceptos, se conversaba de política, de filosofía, de arte, de literatura, se apreciaba el ingenio, la inteligencia, la sensibilidad, y la capacidad de disfrute. Lo que, por otro lado, vinieron a destruir esas mujeres fue la tradicional dicotomía entre el alma sensible femenina y el alma racional masculina. Sensibilidad e intelecto no estaban reñidos para muchas de ellas, como demuestra, entre otras, la traductora de los *Principia mathematica philosophiae naturalis* de Newton y la que inicia a Voltaire en el pensamiento científico, madame de Châtelet, quien será retratada entre 1745 y 1749 por la pintora Marie Loir con un clavel en una mano y un compás en la otra (Torras Francés: 22).

La nómina de aquellas mujeres es extensa, empezando por la marquesa de Rambouillet, que había inagurado en el siglo XVII el primero de los mencionados salones (la célebre "Estancia Azul" como fue llamado) que mantendrá cerca de cuarenta años. Le seguirán madame de La Fayette, Madeleine de Scudéry, madame de Sevigné, madame de Lambert, madame de Sablé, madame de Tencin, madame Geoffrin, madame du Deffand, mademoiselle de Lespinasse, la marquesa de La Ferté-Imbault, madame Necker, madame de Staël, etc... Desfilaron por sus salones las personalidades más célebres de la Europa del momento, incluida, llegado el momento, la generación de *La Enciclopedia.* Asiduos de las reuniones serán, entre otros, Helvétius, D'Holbach, Grimm, Marmontel, Diderot, Voltaire, Condorcet, Condillac, La Rochefoucauld o D'Alembert, hijo ilegítimo, por cierto, de madame de Tencin. Sus obras eran leídas, comentadas, fomentadas e impulsadas en esas reuniones femeninas. A las mujeres no se las podía ya ignorar. En 1637 el mismísimo Descartes había decidido escribir el *Discours de la méthode* en francés y no en latín para que pudiera ser leído también por las mujeres (Craveri: 45).

Amantes, como queda dicho, de la literatura y también de la lengua, el poder de esas mujeres se materializó asimismo en el arbitraje de un lenguaje conversacional que se trasladó a una escritura epistolar que daría la vuelta a toda Europa contribuyendo de ese modo a la difusión de las Luces. *La cultura de la conversación* ha llamado Benedetta Craveri al brillante estudio que ha publicado sobre esos salones. Si la Ilustración fomenta al hombre que dialoga, que escucha al otro, que pone en entredicho las verdades heredadas, al hombre social... se entiende que la correspondencia escrita devenga una proyección de tal talante. No se trata sólo de la correspondencia como tal. *Le rêve de D'Alembert* de Diderot, por ejemplo, está escrito en forma de conversación y será precisamente mademoiselle de Lespinasse la protagonista de la última parte del diálogo (Craveri: 429). Sea como sea, no estamos, como sí ocurrirá después en el Romanticismo, ante una correspondencia íntima, personal donde el *yo* se confiese y desnude. Se trata de una correspondencia social, en la que se comentan los acontecimientos políticos, culturales... que afectan a todos. Las diferencias nacen de las costumbres, entienden los ilustrados. La igualdad viene de la naturaleza. Y la Ilustración se interesa mayormente por lo que de común tienen los hombres, más que por lo que les distingue.

En este contexto, las mujeres, maestras de la oralidad desde siempre, se convirtieron en auténticas artistas del género epistolar, con unas cartas que logran una apariencia de naturalidad, espontaneidad, fluidez, estilo directo... Se crea también entonces el tópico de la excelencia epistolar de las mujeres. Como decía La Bruyère: "El sexo bello va más lejos que el nuestro en ese género, pues las mujeres encuentran bajo la pluma giros y expresiones que en los hombres suponen un trabajo penoso y un positivo esfuerzo [...] Sólo ellas saben encerrar en una palabra todo un sentimiento" (Torras Francés: 70). La conclusión de tal declaración es inmediata: lo que en el hombre es esfuerzo y trabajo, en la mujer es naturalidad y espontaneidad. Otra vez la dicotomía de siempre que precisamente las mujeres de los salones se empeñaron en desmentir: el arte y la cultura para el hombre, la naturaleza y el instinto para la mujer. Es decir, como dice Torras Francés en su divertido y riguroso libro, "la literatura es cosa de hombres" (73). Una cosa es el dominio de la oralidad por las mujeres y otra que ignorasen la retórica del arte epistolar a la hora de trasladar esa oralidad a la escritura. Las cartas que se guardan en la actualidad demuestran que sus autoras conocían esa retórica. Lamentablemente, gran parte de la correspondencia de los salones parisinos se ha perdido. En el fondo, tampoco nació para publicarse.

Pese a que de esos salones no se derivó derecho político alguno para las mujeres, su importancia radica en que constituyeron un espacio semipúblico que vino a demostrar la capacidad de las mujeres para dialogar en condiciones de igualdad con los hombres. Merece destacarse el hecho de que la inmensa mayoría de estas mujeres son viudas o solteras, es decir, libres de la tutela marital e independientes gracias a su propio *status* social. No faltó la osadía y el riesgo en algunos de sus comportamientos. Ninon de Lenclos pasó, por ejemplo, por una cortesana que había sido capaz de aceptar como marido a Antoine de La Sablière declarándole: "Te amaré durante tres meses. ¡Para mí, eso es el infinito!" (Craveri: 277). La propia correspondencia de esas mujeres revela en muchos momentos una conciencia radical de sí mismas y de la injusticia histórica a que ha sido sometido su sexo. Véase en este sentido la siguiente reflexión de mademoiselle de Montpensier en carta a madame de Mottville: "Lo que ha dado la superioridad a los hombres es el patriarcado [...] y lo que ha hecho que nos llamen sexo débil es la dependencia a que nos ha sometido el sexo, a menudo contra nuestra voluntad y por motivos de familia de los que hemos sido víctimas. ¡Salgamos de una vez de esta esclavitud! Que haya un lugar en el mundo donde se pueda decir que las mujeres son dueñas de sí mismas y no tienen todos los defectos que se les atribuyen" (Craveri: 210).

Si se atiende ahora al caso español, la situación parece diferir notablemente. Queda aún mucho por estudiar de los salones españoles pero todo parece apuntar a que el protagonismo femenino fue en ellos más tímido y superficial. Ha sido en especial Fernández Quintanilla quien se ha referido en conjunto a esos salones, destacando los que se mencionan a continuación. En tiempos de Felipe V, el de Rosa María de Castro Centurión, condesa de Lemos y, en segundas nupcias, condesa de Sarria. Después de enviudar, y de 1749 a 1751, abre la que se llamará Academia del Buen Gusto, de carácter literario, y por la que desfilan personalidades como Montiano, Luzán, Nasarre, Luis José Velázquez, el conde de Torrepalma, el marqués de Valdeflores, el duque de Béjar, el de Medinasidonia, etc... Fue en dicha Academia donde empezó a fraguarse una renovación estética que daría sus mejores frutos unos años más tarde. De mayor importancia debió ser el salón de la condesa-duquesa de Benavente, protectora de una de las actrices populares más célebres del momento, María Ladvenant y Quirante, celebrada por numerosos ilustrados. El teatro, pero también la literatura en conjunto y la música forman parte de las aficiones de sus contertulios, entre los que destacan Jovellanos, Fernández de Moratín, Clavijo y Fajardo o Francisco de Goya, este último encargado de la propia decoración del palacio en que tienen lugar las reuniones, majestuoso, refinado, de gusto francés y que albergaba una inmensa biblioteca, donde destacaba igualmente la sección musical con obras de Boccherini, Marmoy, Mozart o Rossini. Célebre fue asimismo el salón de Doña María Francisca de Sales y Portocarrero, condesa de Montijo, una de las mujeres del XVIII español mejor conocidas en la actualidad gracias a la rigurosa biografía que de ella ha escrito Paula de Demerson. Por su salón desfilan, en especial, personajes del mundo eclesiástico debido a la religiosidad de la condesa, de signo reformista respecto de muchos usos y costumbres del momento como demostraría también su traducción de las *Introducciones sobre el matrimonio* de Nicolás Le Tourneux. No pudo librarse la condesa de Montijo de la calificación de jansenista por la Inquisición, como tampoco del destierro en 1805. El salón de María Teresa Cayetana, duquesa de Alba, tuvo un carácter más lúdico, en ocasiones quizás más frívolo que los anteriores. Interesada por la moda del majismo, que se impuso hacia el final del siglo como reacción de las clases populares al afrancesamiento de petimetres y petimetras e imitada después por las clases altas, Cayetana de Alba supo combinar el divertimento con el interés por el arte, como demuestra la impresionante herencia artística que dejó a su muerte, lo mismo que los estrechos contactos con Goya, quien siempre la admiró. Actores y gentes de teatro en especial, frecuentaron el salón de María Lorenza de los Ríos, marquesa de Fuerte Híjar, autora ella misma de dos comedias y traductora de *Vida y obras* del conde de Rumford, quien ideó las llamadas "cocinas económicas" que se implantaron en las zonas pobres de la capital, una obra que la marquesa se atrevería a presentar en 1802 a la Real Sociedad Económica Matritense. Pasaron por el salón de la marquesa el célebre actor Isidoro Máiquez o el tenor Manuel García, también el poeta y dramaturgo Nicasio Álvarez de Cienfuegos entre otros muchos hombres de letras.

Como queda dicho, lejos están estos salones de los del París del momento aunque no por ello deben ser ignorados. Hay que esperar a contar con una bibliografía precisa para poder valorarlos con justicia. Sea como sea, hay que recordar que la sociedad española no era igual a la francesa, lo que explica las limitaciones de nuestra propia Ilustración y desde luego el distinto papel que ejercieron en ella las mujeres. Pese a todo, y como demuestran los textos que se verán más adelante, no pudo evitarse la continuación de un debate que, a fines del XVIII, iba a adquirir en ciertas plumas auténticos visos de modernidad, demostrándose por otro lado que el tema de que aquél trataba no estaba resuelto: el relativo a la definición de las mujeres y, más en concreto, a su capacidad de raciocinio. Tal vez la existencia de aquellos salones contribuyó a ese debate.

Las numerosas mujeres españolas que una y otra vez recordaron desde sus textos que el alma no tenía sexo porque estaba desligada del cuerpo, es decir, que existía una igualdad de entendimiento entre hombres y mujeres, no estuvieron solas, contaron con el respaldo de la *autoridad masculina* representada por diversas personalidades del siglo. El discurso de la igualdad convivió así con el de la complementariedad de los sexos al que se ha aludido anteriormente, y fue ese discurso el característico de todas las mujeres que aquí van a estudiarse. Fuera de España, hay que recordar el texto fundador de François Poullain, autor en 1673 de *Sobre la igualdad de los sexos*. O ya en plena Ilustración, las modernas y honrosas aportaciones de un Condorcet o un D'Alembert. Dentro de nuestras fronteras, referencia inexcusable es el clérigo benedictino Benito Jerónimo Feijóo, quien en 1726 publica el discurso XVI de su *Teatro Crítico Universal*, en defensa de las mujeres donde, por cierto, tiene palabras elogiosas para las *salonnières* a las que antes nos hemos referido. Todos estos autores desbiologizan la cuestión del entendimiento, amparándose en la separación de alma y cuerpo que un autor como Descartes había dejado sentada. No fueron pocos los detractores de Feijóo, en éste y otros asuntos. Ahora bien, su discurso fue tam-

Carta de D'Alembert a Jean-Jacques Roosseau (1759) en defensa de la igualdad de los sexos

La esclavitud y la degradación a que hemos reducido a las mujeres, las trabas que ponemos a su intelecto y a su corazón, la jerga fútil y humillante, para ellas y para nosotros, a la que hemos reducido nuestra relación con ellas como si no tuvieran una razón que cultivar o no fueran dignas de ello. Finalmente, la educación funesta, yo diría casi homicida, que les prescribimos, sin permitirles tener otra; educación en la que aprenden casi únicamente a fingir sin cesar, a ahogar todos los sentimientos, a ocultar todas sus opiniones y disfrazar todos sus pensamientos [...] Si la mayoría de las naciones ha actuado como nosotros al respecto es porque los hombres siempre han sido los más fuertes en todas partes y [...] en todas partes el más fuerte es el opresor del más débil [...] El gran defecto de este siglo filosófico es no serlo todavía bastante. Pero cuando la instrucción sea más libre de expandirse, más extendida y homogénea, experimentaremos sus efectos bienhechores; dejaremos de mantener a las mujeres bajo el yugo y la ignorancia y ellas dejarán de seducir, engañar y gobernar a sus señores. El amor entre los dos sexos será para entonces como la amistad más dulce y verdadera entre los hombres virtuosos; o más bien, será un sentimiento más delicioso todavía, el complemento y la perfección de la amistad, sentimiento que en intención de la naturaleza debía hacernos felices y que, para nuestra desgracia, hemos sabido alterar y corromper.

(Alicia H. Puleo: 74-76)

bién un referente positivo para muchos, entre ellos los que defendieron en su momento la admisión de mujeres en la Sociedad Económica Matritense, como Ignacio López de Ayala o Pedro Rodríguez Campomanes.

Feijóo deviene así la primera autoridad en la España del XVIII del discurso de igualdad de los sexos. Con decisión y firmeza, declaraba al inicio del Discurso: "En grave empeño me pongo. No es ya sólo un vulgo ignorante con quien entro en la contienda: defender a todas las mujeres, viene a ser lo mismo que ofender a casi todos los hombres [...] A tanto se ha extendido la opinión común en vilipendio de las mujeres, que apenas admite en ellas cosa buena. En lo moral las llena de defectos, y en lo físico de imperfecciones. Pero donde más fuerza hace, es en la limitación de sus entendimientos" (15). No se trata ahora, advierte, de cantar las excelencias de las mujeres, como numerosos autores anteriores han hecho para contrarrestar la misoginia militante de otros, sino de defender la igualdad. "Mi empeño no es persuadir la ventaja, sino la igualdad", sostendrá (21). No obstante, hay que advertir que una vez establecida la igualdad en el plano del pensamiento, Feijóo no se plantea la posibilidad de materializarla en la realidad, donde la mujer debe seguir realizando los papeles de siempre. La contradicción sólo puede resolverla apelando a la instancia divina. Es Dios quien, habiendo creado a hombres y mujeres iguales, les ha asignado funciones distintas en el mundo. Se trata de un orden social que debe ser garantizado. Y en Feijóo debe serlo por imperativo divino: "aunque sean iguales los talentos, es preciso que uno de los dos sea primera cabeza para el gobierno de la casa, y familia; lo demás sería confusión y desorden" (77). Es el argumento de Feijóo pero también, como veremos, el de todas las mujeres en que aquí vamos a detenernos. La osadía del pensamiento ilustrado en España no va más allá. No pudo ir más allá. Quizás no es un problema meramente español sino de la propia Ilustración, cuya igualdad, como explica José Antonio Maravall, "no quiere decir más que una distribución proporcional al puesto y rango social de cada clase" (469). Es el claroscuro de las luces. Léase el siguiente retrato que podría ser el de una mujer ideal, aparecido en el discurso XLI del célebre semanario *El Censor* (1781-1787) dirigido por Luis Cañuelo. Obsérvese cómo en ningún momento hay alteración de jerarquía alguna sino reconocimiento de que la educación debe servir para mantener dignamente a cada uno en su estado. Una mujer que no sea ni bachillera ni beata, medianamente culta para poder desenvolverse con mayor soltura en su mundo, que sigue siendo el mundo de la domesticidad:

> "¡Qué hermosura!, ¡Qué talento!, ¡Qué ingenio!, ¡Qué virtud y qué bondad! Aunque no ignora las habilidades propias de su sexo, no por eso ha dejado de cultivar más que medianamente su espíritu. Maneja igualmente el torno, la aguja, la almohadilla, que un libro de filosofía, o de algún arte, y no le es forastera ninguna suerte de literatura. Principalmente tiene más instrucción de la Religión que profesa, que las que comúnmente tienen las personas de su sexo. Así la ama, la venera, y es regla y fin de todas sus operaciones. No unas devociones o ridículas o pueriles, pero sí los ejercicios de una piedad masculina y sólida, algún rato de lectura o música llevan una parte de su tiempo, lo demás todo lo emplea en el trabajo de sus manos. A pesar de todo esto, no es ni bachillera ni beata. Manifiesta sin saberlo los conocimientos nada vulgares que ha adquirido, juzgando sencillamente que son comunes a todos. Se adorna tan bien o mejor que las de-

más mujeres de su esfera, aun las más ricas; pero con decencia, con modestia, con una noble compostura; y no usa de adorno alguno que no haya ella misma trabajado. No es huraña, no es insociable; antes sí todo lo contrario. Mas no se sabe en qué consiste que ningún petimetre, aún el más marcial, no osa decirle: ¿qué digo una palabra menos decente? Ni una lisonja. Sin embargo de su agrado, de su natural alegría, debe infundirles respeto la majestad de sus virtudes, que se ostentan en su rostro y en sus acciones" (Pérez Canto: 217-218).

II
EL TRABAJO DE LAS MUJERES DE LA JUNTA DE DAMAS DE HONOR Y MÉRITO

Hablar del reformismo ilustrado en España, al igual que hacerlo del papel que representaron en él las mujeres, obliga a detenerse en las Sociedades Económicas de Amigos del País que, a partir de 1765, fecha en que se pide la aprobación de la Sociedad Vascongada, devienen una de las principales plataformas institucionales de dicho reformismo. La Ilustración española pasa por esas Sociedades mucho más que por el ámbito universitario: el reinado de Carlos III dejó pendiente la apremiante reforma universitaria que venían reclamando desde hacía décadas autores como Gregorio Mayans, o más cercano, Pablo de Olavide. La conciencia de la maltrecha economía española impulsa esas Sociedades —igual que los numerosos institutos, escuelas o seminarios aparecidos bajo su iniciativa— que tendrán entre sus fines disminuir la introducción de manufacturas extranjeras, fomentar la profesionalidad y dignidad de ciertos oficios, ganar el mayor número posible de población activa, actualizar o eliminar las asociaciones gremiales ya en franca decadencia, impulsar, en fin, un nuevo modelo de enseñanza verdaderamente útil. La educación es en este aspecto una "inversión" como ha dicho Maravall (177). No es otro el sentido de la siguiente reflexión de Pedro Rodríguez Campomanes, quien desde el cargo de fiscal de lo civil con Carlos III ejercería una influencia decisiva en la política española: "Es inútil quejarse del pueblo porque no se dedica a la industria. Mientras no se le facilita la enseñanza de lo que le conviene, ignora, y aun muchos de los que pudieran contribuir al remedio, los arbitrios, a un fin tan deseado de todos los buenos" (Negrín Fajardo:19). Se trata de conseguir aumentar la fuerza productiva del país para incrementar de ese modo la riqueza y prosperidad. Se trata de lograr eso que Maravall ha denominado una "sociedad de pleno empleo" (533).

Los logros finales del proyecto ilustrado fueron desde luego muchos menos de los deseados, por ejemplo en cuestiones de reforma social, donde el clero y la nobleza más intransigentes encuentran un aliado en el propio monarca. Peor balance puede hacerse quizás de las reformas políticas, respecto de las cuales Carlos III estuvo más cerca en ocasiones del despotismo a secas que del despotismo ilustrado —recuérdese ya entonces la existencia del régimen monárquico y parlamentario de un país como Inglaterra o la propia constitución americana—. No obstante, apoyados por el rey, el trabajo de las Sociedades logró resultados que merecen ser encomiados, entre ellos muy especialmente los relacionados con el desarrollo de las obras públicas como la construcción de caminos, canales... Por lo que a nuestro tema respecta, destaca la labor en las escuelas populares, llamadas "Escuelas Patrióticas", a partir de 1776. Con el tiempo, se pretendió, en especial a las niñas, ofrecerles un oficio relacionado con la fabricación de tejidos y labores (encajes, calcetas, bordados, chupas...), de lana, lino, cáñamo o algodón. Se les enseñaba a utilizar el torno, la rueca o el telar, aparte de la instrucción propiamente moral y religiosa. Lo que fabricaban las alumnas se ponía a la venta, lo que servía en parte para sufragar las propias escuelas pero también para permitir una menor importación de productos extranjeros, uno de los asuntos económicos que más preocupaban. "Aprender produciendo" podría haber sido el lema de esas Escuelas (Fernández Quintanilla: 85) que devinieron una auténtica industria popular. Pese a la existencia de maestras en dichos centros, la inspección quedaba en manos de los socios curadores cuya función no era otra que "la paterna de un diligente padre de familia" como rezaba el punto 3 de los Estatutos (Negrín Fajardo:55). La cuestión de las "Escuelas Patrióticas" lleva directamente a la de la Junta de Damas de Honor y Mérito, ya que ésta pasará con el tiempo a hacerse cargo de ellas. El camino andado hasta ahí no fue, sin embargo, sencillo.

En 1775 se había fundado la Real Sociedad Económica de Amigos del País de Madrid, de la que las mujeres, como del resto de Sociedades, estaban excluidas. A partir de ese mismo año autores como José Marín o Campomanes, entre otros, empiezan a hablar de la oportunidad de que sean admitidas las mujeres, entre otras cosas por entender que en algunas actividades, entre ellas la fabricación de tejidos o la atención a las niñas en las Escuelas Patrióticas, podían desenvolverse mejor que los hombres. Juan Sempere y Guarinos, que participó activamente en el reformismo ilustrado desde la Matritense y el consejo de Hacienda, hablará en este sentido de una "industria mujeril, para la que sin duda tienen más disposición que no los hombres" (215).

Los textos que los autores citados y otros escriben con motivo de la admisión de damas en las Sociedades presentan un gran interés para una historia del género en España. Muchas de las ideas del siglo sobre las mujeres se recogen en esos textos que devienen auténticos documentos históricos. Es Manuel J. Marín quien en octubre de 1775 abre la que sería una de las polémicas más importantes del fin de siglo.

Para empezar, Marín propone que sólo entren en las Sociedades, pagando una cuota, mujeres que presenten vínculos familiares con los socios. Ahora bien, Marín advierte que "no intento, ridícula o extravagantemente, incomodar a las damas dándoles ocupación ajena de su retiro y reposo", es decir, explica que las mujeres tendrían entera libertad de "aplicar o no sus cuidados a cualquiera de los objetos de nuestro instituto" (Negrín Fajardo:134). La participación de Josefa Amar en la polémica demostrará que el incomodo no era un problema para ellas. Pese a la declaración de Marín, el resto de su texto insiste en los beneficios que se obtendrían de la participación de las mujeres en ciertas ramas como la industria y las artes (manufacturas, telas e hilados), y la agricultura (jardinería y economía rural y doméstica). De ese modo, añade Marín, se lograría también "acreditar sus talentos y aprovechar sus luces" (135), desagraviándolas "de la ociosidad que generalmente se les atribuye", consiguiendo eludir "las sátiras, invectivas y amonestaciones con que hasta ahora, por falta de estímulo y de ocasión proporcionada, de emplear sus sobresalientes talentos y disposiciones admirables, se han visto tratadas en los teatros y conversaciones y reprendidas en los sagrados púlpitos" (139). Marín tiene también un recuerdo para las damas francesas y su positiva influencia. Interesa por último que, como Feijóo tiempo atrás, Marín insiste en desexualizar la cuestión del entendimiento, que a esas alturas parece, por tanto, no haberse aún resuelto del todo: "los entendimientos —afirma— no tienen sexo, ni las almas se diferencian como los cuerpos" (139).

Al de Marín seguirá el discurso de Pedro Rodríguez Campomanes en noviembre de 1775, con tesis similares a las de aquél: positiva aplicación de las mujeres a la industria de primeras materias como espadar, rastrillar e hilar el lino; necesidad de restar ociosidad inútil al sexo femenino; admisión "conveniente y necesaria" pero también "justa" (Negrín Fajardo:147), a través de la cual las mujeres podrán compartir con los hombres "la gloria de contribuir al bien común de su patria" (146). Obsérvese la noción de "gloria", que implica la recompensa por el trabajo y en la que insistirá Josefa Amar precisamente por entender que si no hay premio para las mujeres, tampoco habrá voluntad. Destaca en el discurso de Campomanes el papel social, el provecho que para el Estado puede representar la mujer, siempre y cuando se repare "la indigencia de la instrucción pública" (145) en ese terreno. Hay que educar a las mujeres, madres futuras de sus hijos y, por extensión, madres también del propio Estado.

En abril de 1776 es Luis de Imbille el que se hace eco de los discursos anteriores, centrándose ahora en la cuestión de si las socias deben o no contribuir económicamente a las Sociedades, proponiendo en este sentido tres categorías.

Estos tres discursos quedan ahí, aislados, sin que nadie en mucho tiempo se interese en continuarlos o intentar hacerlos efectivos, es decir, sin que la cuestión se debata de un modo oficial. Hay que esperar a 1786 para que vuelva a abrirse el debate, ahora con autores como Francisco de Cabarrús y M. G. Jovellanos, quienes rechazan y aceptan respectivamente la entrada de mujeres en las Sociedades.

El influyente conde de Cabarrús escribe su texto en febrero de 1786, sosteniendo que las mujeres nunca han participado en espacios públicos ni tienen por qué hacerlo ya que su obligación civil es la de atender a sus maridos, sus hijos y la familia en conjunto, llevando una vida doméstica y retirada. Cabarrús no oculta el temor a la decadencia de las propias Sociedades si entran en ellas las mujeres, en especial aquéllas que lo hagan por entretener sus ocios. Otras mujeres sí pueden ser, sostiene, "almas extraordinarias y varoniles", como Isabel de Castilla, pero el problema no es el mérito que ellas representen sino que su ejemplo sea seguido neciamente por la mayoría. Por eso, escribe también: "Por ventura, ¿aquellas heroínas han tratado con otras mujeres sus proyectos?, ¿las han fiado autoridad alguna?". Cabarrús se responde a sí mismo: "No, por cierto; conocían su sexo y le hacían justicia, reduciéndole a los empleos domésticos para los cuales parece destinado" (Negrín Fajardo: 152). Cabarrús insiste en el argumento: "Por una que contemplemos acostumbrada a combinaciones grandes, y contrayendo el hábito de la meditación, de la constancia, del sigilo, ¿cómo podemos disimularnos la petulancia, los caprichos, la frivolidad y las necesarias pequeñeces que son el elemento de este sexo?" (152). El autor expone lo que otros muchos también pensaban: el problema no era la existencia de la excepción —meramente emblemática— sino de la norma.

Poco después precisamente del discurso de Cabarrús se consentirá la entrada en la Matritense de dos excepciones, Isidra Quintina de Guzmán y la condesa de Benavente. El caso de la primera resulta, sin duda, particular. En 1785 se le había concedido, por vez primera en España, el título de Doctora, después de haberse graduado en Filosofía y Letras en Alcalá de Henares. Ha referido esta "efeméride nacional" Fernández Quintanilla (67-68), recordando su llegada a la Universidad, el examen a que fue sometida, el público que la arropó, el bonete que se le impuso rubricando el acto... En 1785 entró también en la Real Academia de la Lengua. Su final, sin embargo, desmerece todos estos méritos. "Andando los años —termina Quintanilla— Isidra fue una magnífica esposa y madre de familia" (68). En efecto, que se sepa hasta ahora, no investigó ni publicó nada después de aquel evento. La excepción de Isidra Quintina fue también la de otras mujeres, como aquellas que entraron en la Real Academia de Bellas Artes de San Fernando a partir de 1766. La norma, no obstante, tardará mucho en llegar.

En marzo de 1786 publica Jovellanos su discurso en el que considera que "admisión y concurrencia" deben ir juntas, puesto que es absurdo dar entrada a las mujeres y luego negarles plenitud de derechos, lo que además sería visto como un agravio por parte de ellas mismas. Matiza también Jovellanos, respondiendo en cierto modo a Cabarrús, que no se trata de aceptar a todas las mujeres que lo soliciten sino sólo a aquéllas en las que se encarnen "virtudes civiles y domésticas" (Negrín Fajardo:158). Reconoce en este aspecto, como otros muchos, el estado de ignorancia y frivolidad de muchas mujeres pero precisamente por ello, cree necesario que las virtuosas puedan representar un papel público que sirva de ejemplo a las demás: "Llamemos a esta morada del patriotismo a aquellas ilustres matronas que han sabido preservarse del contagio" (160), caracterizadas por "la grandeza de ánimo, la viveza de ingenio, la generosidad de corazón, la humanidad, la caridad, la beneficencia" (161). Para Jovellanos es beneficioso que esas mujeres entren en las Sociedades, entre otras cosas, sostiene, porque aplaudirán los logros masculinos y de ese modo los hombres se sentirán fortalecidos. La ambigüedad del discurso de Jovellanos es también la de otros muchos autores por lo que respecta a la cuestión de las mujeres. Sorprendentemente, acaba reconociendo que no hay peligro alguno en que entren las mujeres en las Sociedades porque "las damas nunca frecuentarán nuestras juntas. El recato las alejará perpetuamente de ellas" (160). De nuevo hay que decir que la intervención de Josefa Amar desmentirá esa indiferencia adjudicada por Jovellanos al colectivo femenino. De muy especial interés será precisamente su extenso discurso en junio de 1786 que, junto a las reflexiones de Inés Joyes, constituirán los textos más modernos del siglo XVIII español en pluma femenina por lo que respecta a la defensa de la igualdad de las mujeres. Se hablará del informe de Amar en el capítulo dedicado a la escritora.

Tras el texto de Amar, hay que destacar el informe de Ignacio López de Ayala en septiembre de 1786, en el que apela a la "razón y humanidad" (Negrín Fajardo:178). Es éste un texto claro en defensa de las mujeres, basado en la idea de su igualdad con los hombres. Insiste López de Ayala en no mezclar las cuestiones biológicas en la discusión, apunta que lo característico del género humano (frente a los animales) es el alma, es la razón y ahí no hay diferencias entre sexos: "Las almas son de una misma perfección" (177). Su discurso es contundente, y debió entusiasmar a la propia Amar: "Los hombres son los que han depravado el otro sexo. Celosos de una autoridad inhumana, las reducen al ocio. ¿Y qué han de pensar, qué han de discurrir, en qué han de consumir el tiempo cuando por la crianza y por el capricho se hallan reducidas a ser nada?" (177). Y más adelante afirma con igual tesón: "Este sexo, dicen, tiene, en lo general, por elemento, la petulancia, los caprichos, la frivolidad y las pequeñeces. Esta es acusación contra nosotros. ¿En qué han de ejercitarse si las privamos de todos los objetos? Un hombre reducido a vivir como mujer sería tan mujer como cualquiera de ellas, y sólo añadiría a la pequeñez, la desesperación" (181). López de Ayala no evita mencionar que las mujeres pueden acarrear la ruina del Estado por su excesivo consumismo pero sostiene también que lo hacen "sin advertirlo" precisamente por sus carencias educativas de las que los hombres son responsables. Es de lo que se trata: de ganarlas para el siglo, de integrarlas en el propio proyecto ilustrado. Alabando el gobierno de algunas mujeres, sostiene, recurriendo ahora al discurso laudatorio que ya se ha visto en otras ocasiones, que son éstas "más humanas por naturaleza, más suaves, más amantes de la tranquilidad y más nacidas para regir beneficiando que destruyendo" (181). Y apelando a un progreso que, a su juicio, no va a detenerse escribe también: "Llegará un tiempo en que nuestro siglo parezca tan mal a los futuros por excluir las señoras de la instrucción y manejo de que son capaces, como nos parecen mal los pasados por la superstición con que anhelaban a tenerlas encerradas y a sofocar todas sus luces" (179). La educación femenina construirá en definitiva una sociedad más justa y más feliz para todos. El final del texto de López de Ayala es de un optimismo eufórico:

> "Se evitarán así los desórdenes de la ociosidad, se aumentarán los matrimonios, porque el hombre hallará auxilio en la que ahora mira como carga; crecerá la población, habrá artes, habrá géneros y comercio español, se propagará la industria, se inclinarán los hombres que sólo sirven de peso a ocupaciones racionales y se servirá España de la mitad de su población que por nuestro abandono atrasa ahora tanto, cuanto la otra mitad procura adelantar" (183).

El debate acerca de la admisión de señoras en las Sociedades no se quedó en el interior de la Matritense sino que trascendió a la propia sociedad al publicarse muchos de los textos mencionados en el *Memorial Literario*, donde también aparecerían después los textos de las propias mujeres que pudieron finalmente conformar la llamada Junta de Damas de Honor y Mérito, dependiente de la Matritense, y que fue aprobada por real cédula —"por Real ánimo paterno" como decía el texto de aprobación— el 27 de agosto de 1787. Dicho texto, firmado por el, aún en el poder, conde de Floridablanca, refería los beneficios generales del trabajo de las mujeres en dicha Junta:

> "El Rey entiende, que la admisión de Socias de mérito

y honor, que en Juntas regulares, y separadas, traten de los mejores medios de promover la virtud, la aplicación, y la Industria en su sexo, sería muy conveniente en la corte, y que escogiendo las que por sus circunstancias sean mas acreedoras á esta honrosa distinción, procedan y traten unidas los medios de fomentar la buena educación, mejorar las costumbres con su exemplo, y sus escritos, introducir el amor al trabajo, cortar el luxo, que al paso que destruye las fortunas de los particulares, retrae á muchos del matrimonio, en perjuicio del Estado, y substituir para sus adornos los géneraless á los extrangeros, y de puro capricho".

(Sempere y Guarinos: 215-216)

Las mujeres habían sido ganadas para la causa común del reformismo ilustrado. Se convierten así en figuras imprescindibles para la salvaguarda de los valores de un poder que durante muchos años no les otorgará, sin embargo, ningún tipo de derecho político. Lo importante es que entraron entonces en la Junta catorce damas de la alta aristocracia que hasta 1800 se convirtieron en 66. Con la entrada de las Infantas María Luisa, María Victoria y María Josefa la Junta recibió un impulso importante. La inmensa mayoría de las mujeres de la Junta estaban casadas. Casi todas pertenecían a la alta nobleza. Este es el perfil de esas mujeres, entre las que deben contarse algunas verdaderamente ilustradas, entre ellas, la propia presidenta de la Junta, la condesa-duquesa de Benavente y, muy en especial, su secretaria, la condesa de Montijo. Fue esta última la que luchó por la autonomía de la Junta, la que se negó a escribir el tradicional Elogio de la Reina, la que se implicó muy directamente en numerosas labores prácticas. Más que una escritora —sólo publicó, como queda dicho, la traducción, a instancias del obispo Climent, de las *Instrucciones sobre el sacramento del matrimonio* de Nicolás Le Tourneux, aparecida en Barcelona en 1774—, la condesa de Montijo fue una trabajadora infatigable y una de las protagonistas indudables del propio reformismo ilustrado del último tercio del XVIII. En 1794 Sancha publicaba los Estatutos de la Junta, cuya redacción suscitó algunas discusiones. De dichos Estatutos se infiere el celo y rigor con que se planteó el trabajo de la Junta desde el principio: sería vigilada la asistencia a las reuniones, no teniendo derecho a voto quien no asistiera al menos a doce sesiones al año; se debía garantizar la instrucción y medios de las nuevas socias y su compromiso con la Junta; las proposiciones planteadas debían ser aprobadas por la mitad más una de las socias, etc...

Se ha hablado antes de las Escuelas Patrióticas. Pues bien, la Junta se hizo cargo de ellas modificando algunas de sus normas: por lo que respecta a las maestras, dejó de ser necesario que fueran solamente viudas, se les impuso un examen obligatorio para poder trabajar, crecieron sus asignaciones, etc. No debió ser fácil el trabajo en las Escuelas que con el tiempo, en especial a partir del reinado de Carlos IV, se vieron enfrentadas a no pocos problemas económicos. El llamado Montepío de Hilazas también pasó a cargo de la Junta en 1787. Se creó en principio para dar cabida en él a las exalumnas de las escuelas y a sus madres, y seguir así promoviendo el trabajo femenino. El funcionamiento no era sencillo precisamente. Entre otras cosas, el Montepío se encargaba de abastecer de materias primas a las Escuelas, con lo que ello suponía de localización del origen de las materias, transporte, limpieza, almacenamiento... El Montepío llega a tener hasta 800 trabajadoras (Fernández Quintanilla: 91). La Real Inclusa de Madrid, que recogía a los numerosos niños abandonados, era una auténtica ruina. En condiciones deplorables, "cada ama de cría tenía que amamantar tres lactantes a la vez" sostiene Fernández Quintanilla (93). La Junta solicitó hacerse cargo de la Inclusa, cosa que consiguió en 1799. Si la tasa de mortalidad había sido, según el dato de Fernández Quintanilla, del 96%, al poco de pasar a manos de la Junta descendió al 46% y hasta el 36% (94-95). La condesa de Montijo impulsó igualmente la Asociación de ayuda a las presas, que nació en 1788 bajo la protección real. Dicha Asociación significó la primera atención que España prestaba a las cárceles femeninas. Se trataba de nuevo de convertir a las presas en personas útiles para cuando salieran de la cárcel, educándolas en tareas apropiadas, aparte de distraerlas en el propio recinto carcelario. A las lecciones de costura se unían las de religión y, en ocasiones, también se les enseñaba a leer y escribir. Se les pagaba incluso una pequeña cantidad para sus gastos. A esto hay que añadir el empeño de la Junta por mejorar las condiciones sanitarias e higiénicas de las cárceles. Se llegó a abrir una sala especial para atender a las reclusas solteras que iban a dar a luz.

La creación de la Junta de Damas deviene mucho más que una agrupación de damas ociosas y caritativas, aunque algunas sí pudieran responder a ese perfil. Resultó un acontecimiento fundamental en tanto constituyó el primer espacio público de signo laico que se creó en España para las mujeres. Así lo vio un autor como Sempere y Guarinos, quien también denunció la ausencia de esos espacios con anterioridad en su *Ensayo de una biblioteca española de los mejores escritores del reinado de Carlos III*:

> "Una preocupación injusta, é injuriosa, fomentada acaso por el temor, de que añadidas al atractivo de sus gracias naturales las luces del entendimiento, llegáran a quitar á los hombres el mando, y la superioridad, ó á lo

menos la redujeran á terminos más limitados; no solo niega generalmente la entrada á las mugeres en los cuerpos literarios y civiles, sino que aun duda de su aptitud, y capacidad para aprender las Ciencias, y las Artes, y para cuidar siquiera de la dirección, y fomento de muchos objetos, en que ellas mismas deben ocuparse. Esta preocupación no es de un pueblo, ó de una nación sola: todas piensan generalmente del mismo modo; de suerte, que se tiene por cierta especie de prodigio el ver reynar á una muger, ó el extender sus ideas más allá de la rueca, ó de la aguja. En España hasta el Reynado de Cárlos III no se ha visto ninguna asociación de mugeres, autorizada por el Soberano, á excepción de los Monasterios, Congregaciones, Cofradías, y otras Juntas dirigidas únicamente á ciertos exercicios de piedad, y devoción" (212-213).

Aparte de los resultados prácticos y visibles que obtuvo la Junta, los españoles pudieron conocer sus actividades y las opiniones de las propias socias gracias a la prensa, en especial, como queda dicho, gracias al *Memorial literario* donde aparecieron los informes que ellas mismas redactaron, muchos meramente protocolarios o preceptivos pero siempre decisivos respecto del espíritu que pretendían alimentar. Es decir, la prensa sirvió, como en otros casos, de canalizadora pública de un trabajo femenino que, por vez primera, dejó de estar en la sombra. A ello hay que añadir igualmente el aumento del número de lectoras, las cuales podían sentirse alentadas por el trabajo de aquellas mujeres. En cierto modo, la labor de la Junta acabó siendo imprescindible. Las mujeres que la integraron estaban convencidas de ello y de ahí el tesón y la voluntad que demostraron en muchas ocasiones, logrando imponer criterios propios en cuestiones que las enfrentaron directa-

Carta de la Condesa de Montijo al Conde de Floridablanca rechazando el proyecto de un traje nacional para las mujeres (1788)

La Junta ha creído que iría contra los nobles fines que V.E. se propone en orden al mayor bien del Estado si le ocultase lo que realmente piensa de este nuevo proyecto y los inconvenientes que cree tendría su execución y me ordena que yo le haga presente todo a la consideración de V.E. [...]

El querer, pues, que se establezca un trage con el qual la libertad ilimitada que se quite para satisfacer [la inclinación femenina a distinguirse] se compensa con el distintivo de la clase, nos parece que no será seguir el natural, sino chocarle abiertamente, y que a pesar de las utilidades especiosas que de esto nos prometamos, no se podrá contar con la duración permanente.

Por otra parte, la distinción de clases por las señales exteriores del trage nos parece que sobre ser extremadamente difícil, o casi impracticable, será muy odiosa, y de unas arriesgadas consequencias que deben premeditarse mucho [...]

Además de esto conoce bien V.E. que nunca se podrá remediar radicalmente el grave desorden que se experimenta en quanto a trages y adornos mientras no se mejoren las costumbres por medio de la educación y se rectifiquen en esta parte las ideas y opiniones que son las que arreglan y dirigen nuestras acciones [...]

La Junta no puede mirar con indiferencia que el autor [...] de su Proyecto pretenda encargar [la materia] de la averiguación, pesquisa y delación de las contraventoras para que se las imponga el correspondiente castigo: comisión no menos indecorosa y agena de las circunstancias y principios de las Señoras que componen la Junta que opuesta a los fines e instituto de todo cuerpo patriótico por lo que tiene de odiosa.

(Paula de Demerson:371-373)

mente con determinadas autoridades. Esto último es lo que ocurrió con uno de los episodios más pintorescos del fin del siglo ilustrado: el relativo a la propuesta de un traje nacional femenino.

En 1776 había tenido lugar el célebre Motín de Esquilache, de importantes consecuencias políticas, después de haber obligado —la razón de la civilidad había querido imponerse— a recortar las capas y abandonar el chambergo por el sombrero de tres picos. Es en esos años en los que se insta igualmente, en especial a las clases elevadas, a frenar el excesivo gasto o el fatal derroche, y a consumir productos nacionales. En 1788 le toca el turno a las mujeres con la propuesta anónima que llega al conde de Floridablanca de imponer un traje para las mujeres de acuerdo a su categoría social. Gran parte de los argumentos que culpabilizan a las mujeres de la maltrecha economía se encuentran en este informe que, en verdad, no tiene desperdicio. La situación no puede ser más catastrófica para el autor o autora, y de ahí la solución: la imposición de tres trajes únicos para las mujeres, confeccionados con tejidos nacionales y diseñados de acuerdo a su situación en la jerarquía social, cosa que las últimas modas habían tendido peligrosamente a difuminar. Lo que particularizaba la iniciativa española respecto de la de otros países —en Francia se obligó a exhibir signos externos que mostrasen la adhesión a la Revolución— fue que afectaba con exclusividad al colectivo femenino, quien quedaba señalado en primer término, anteponiéndose "la distinción de sexo a la estamental" (Bolufer: 1998: 172). Tal como el mismo informe solicitaba, la Junta de Damas entra en el debate pero no precisamente para apoyar la iniciativa. Es la condesa de Montijo la que, como era habitual, escribe en este caso una especie de contrainforme con el que finamente cierra el asunto al considerar la propuesta una insensatez y un despropósito, aparte de inviable desde el punto de vista económico. Sin necesidad de recurrir a otras tesis que no fueran las ilustradas, concluye del siguiente modo su escrito:

> "Nunca se podrá remediar radicalmente el grave desorden que se experimenta en quanto a trages y adornos mientras no se mejoren las costumbres por medio de la educación y se rectifiquen en esta parte las ideas y opiniones que son las que arreglan y dirigen nuestras acciones" (Paula de Demersor:372).

La educación, pues, de nuevo, como la única inversión rentable.

III
LA ESCRITURA DE LAS MUJERES EN LA ESPAÑA ILUSTRADA

Si bien es cierto que en la actualidad se cuenta con diversos catálogos de escritoras como los citados en la introducción al presente libro, también es verdad que queda por estudiar la mayoría de la producción de aquellas mujeres que con valentía tomaron la pluma a finales del XVIII. Ni siquiera sabemos en muchos casos quiénes fueron, cómo se desarrollaron sus vidas, de qué modo condicionaron las circunstancias su propia escritura, desde dónde escribieron, desposeídas como muchas debieron estarlo de eso que más tarde Virginia Woolf llamaría una *habitación propia*. Se cuenta la anécdota de la novelista inglesa del XVIII, Jane Austen, quien escribía en el salón familiar, en pequeñas hojas que ocultaba en cuanto alguien abría la puerta, cuyos goznes no permitió nunca que fuesen engrasados, cosa que nadie llegaría nunca a comprender.

No sabemos tampoco con qué nombres firmaron sus textos. La propia prensa fue con probabilidad un importante canal para ellas, pero en gran parte sigue siendo un terreno por explotar, incluido ese periódico, *La Pensadora gaditana*, redactado por Beatriz Cienfuegos entre 1763 y 1764, sobre cuya identidad sigue habiendo serias dudas. *La Pensadora* continuaba, aunque ahora en pluma de apariencia femenina, a *El Pensador* de Clavijo y Fajardo que se redactó de 1762 a 1767, y donde las mujeres devinieron objeto de atención preferente.

Beatriz Cienfuegos acepta muchas de las críticas hechas a las mujeres por *El Pensador*, aunque sus armas van dirigidas ahora también a los hombres. La actividad de Beatriz Cienfuegos la continuaron otras mujeres en diversos diarios, de las que se desconoce, sin embargo, prácticamente todo. Tenemos noticia de María Egipcíaca Demaner Gongoreda, cuyo nombre aparece en el *Diario de Barcelona*, de signo conservador, que se publicaba desde 1792 (Palacios:49). También de otras escritoras colaboradoras del ilustrado *Semanario Erudito y Curioso de Salamanca.* Se conoce también la existencia de una prensa destinada específicamente a las mujeres, lo que denota el interés social que de modo progresivo adquiere ese colectivo, aunque tras la Revolución francesa muchas de esas publicaciones se prohíben o no pasan ya la censura (Palacios:51). También en Francia la prensa femenina acabó sufriendo un grave retroceso.

A la luz de las actuales investigaciones, y pese a todo ese desconocimiento, puede afirmarse que el final del XVIII prepara en cierto modo la eclosión de literatura femenina del XIX bajo el signo de la estética romántica y costumbrista-realista. Resulta significativo en este sentido que más allá de discutirse la oportunidad o inconveniente de que las mujeres escriban, cierto discurso del XIX insista en la temática apropiada para aquellas mujeres que han decidido ser escritoras, y que tendrá que ver con el universo doméstico al que casi todos siguen relegando al sexo femenino. Es decir, en el XIX hay una especie de aceptación, más o menos convencida pero generalizada, de la existencia de mujeres que escriben. Algo distinto resulta el fin del XVIII en el que a un autor como Manuel José Quintana no parece inquietarle la presencia de escritoras, ni el temor al contagio puesto que, entiende, se trata de un fenómeno excepcional:

"La cuestión de si las mujeres deben o no dedicarse a las letras nos ha parecido siempre, además de maliciosa, en algún modo superflua. Los ejemplos son tan raros, y tienen ellas tantas otras ocupaciones a que atender más agradables y más análogas a su naturaleza y sus costumbres, que no es de temer que el contagio cunda nunca hasta el punto de que falten a las atenciones domésticas a que se hallan destinadas, y de que los hombres tengan que partir con ellas el imperio de la reputación literaria. No se ha manifestado bien hasta ahora que tenga de perjudicial ni de ridículo el que algunas pocas den al cultivo de su razón y de su espíritu las horas que otras muchas gastan en disipaciones frívolas; y por último, la lista numerosa de las mujeres ilustres, que se han distinguido, no sólo en las artes y las letras, sino también en las ciencias, responde victoriosamente a los que les niegan abiertamente la posibilidad de sobresalir, y les cierran el camino de la gloria".

(Bordiga: 2003: 160-161).

Lo cierto es que no habían sido una excepción las escritoras en los siglos anteriores pero con la particularidad de que una gran parte de ellas escribieron desde las celdas de los conventos. El siglo XVIII empieza a ser un siglo laico, no siendo infrecuentes las críticas de los propios ilustrados al encierro que supone la vocación religiosa, que no siempre, entienden además, es auténtica. De nuevo se trata de una mano de obra, a su juicio, desperdiciada para la productividad del Estado. Por lo que respecta a las mujeres, se trata ahora de escribir, pero desde las mismas plataformas públicas. Y en ello radica la dificultad para ellas, incluso desde la perspectiva de sus propias referencias literarias que no van a ser ya con exclusividad las de las escritoras religiosas. La conciencia de soledad debió ser para

"Prólogo y Razón de la obra" (1763) a *La Pensadora gaditana*, por Beatriz Cienfuegos

Hoy quiero, deponiendo el encogimiento propio de mi sexo, dar leyes, corregir abusos, reprehender ridiculeces y pensar como Vms. piensan. Pues aunque atropelle nuestra antigua tradición, que es siempre ser hipócritas de pensamientos, los he de echar a volar, para que vea el mundo a una mujer que piensa con reflexión, corrige con prudencia, amonesta con madurez y critica con chiste.

Según la más común opinión masculina, parecerán paradojas mis intentos, viendo que una mano, a quien la naturaleza destinó para gobernar la aguja, manejar la rueca y empuñar la escoba, se atreve, sin permiso de las Universidades, de los Colegios y las Academias, a tomar la pluma, ojear los libros y citar autores [...] Nos conceden los hombres a las mujeres (y en opinión de muchos como de gracia) las mismas facultades en el alma para igualarlos y aun excederlos en el valor, en el entendimiento y en la prudencia. Y no obstante esta concesión, siempre nos tratan de ignorantes, nunca escuchan con gusto nuestros discursos, pocas veces nos comunican cosas serias, las más alejan de nosotras toda conversación erudita y sólo nos hablan en aquellos intereses que, por ser indispensables, se ven en la precisión de tratarlos con nosotras. Y con todas estas experiencias, muy llenas de vanidad, nos gloriamos de nuestra suerte, celebramos sus cortejos (el Pensador sea sordo) y aplaudimos sus rendimientos, cuando todo esto son hazañerías con que procuran nuestro engaño, solicitando sus ideas a costa de nuestros pesares y muchas veces de nuestro honor [...]

Mi intento no es contradecir al *Pensador* de Madrid; antes bien, alabo su idea, celebro su intención y envidio sus ocurrencias. Sólo pretendo desquitarme hallando iguales defectos que corregir en los hombres [...]

Mi inclinación es la libertad de una vida sin la sujeción penosa del matrimonio ni la esclavitud vitalicia de un encierro.

(Beatriz Cienfuegos:37-41)

muchas una dificultad añadida, quizás por eso sus obras están llenas de dedicatorias y recuerdos a otras mujeres como un modo de sentirse integradas en una colectividad que puede otorgarles identidad. Como el modo del único diálogo posible: el diálogo entre iguales.

De lo que desde luego tenemos constancia es de los obstáculos que todas ellas tuvieron que sortear para ver publicadas sus obras, en especial los de una censura que caía doblemente sobre ellas: por ser ilustradas y por ser mujeres. La amenaza de esa censura explica muchas de las estrategias discursivas que esas mujeres se vieron obligadas a utilizar, entre ellas, la ya explotada desde siempre de la falsa modestia, con la que restarán importancia a sus escritos, considerándolos producto precario de una mente femenina que evita de ese modo las peligrosas ociosidades tan denunciadas por algunos. Se sigue igualmente utilizando el recurso medieval de la invocación a Dios como inspirador primero de lo que escriben, la inevitable inspiración que Dios ha depositado en ellas, cuyos trabajos no son así fruto de esfuerzo o educación alguna sino producto natural de un estado de alma. A veces han escrito, sostendrán, no por iniciativa propia sino a instancias de algún hombre que las ha convencido, lo que les resta a ellas mismas responsabilidad en su atrevimiento. A todo ello hay que sumar la insistencia en que su dedicación a la pluma no las ha distraído en ningún momento de la dedicación a la aguja, en que han hecho compatibles ambas actividades. Sea como sea, la cuestión es justificarse de una actividad que en principio no les convenía, a la que no estaban natural o racionalmente destinadas. Véanse como botón de muestra los dos textos siguientes. El primero es de la dramaturga María Laborda (o Margarita de Castro cuando actuaba como actriz), quien en el Prólogo a su obra *La dama misterio, capitán marino* del último cuarto del siglo, explica que su texto es "una mera distracción de mis penosas tareas; mi ocupación, estado y fortuna, no me permiten perfeccionarle con mis cortos conocimientos; no he tenido en él más objeto que adormecer la memoria de mis pasadas desgracias, manifestando al mismo tiempo que las damas españolas, entre las gracias de Venus, saben tributar holocaustos a Minerva" (Serrano y Sanz: III: 2). El otro texto se debe a María Romero Masegosa, traductora en 1972 de *Cartas de una peruana* de Madame de Graffiny, en cuyo prólogo escribe la autora lo que sigue. Reproducimos por extenso sus palabras para que puedan percibirse los artilugios retóricos que utiliza a la hora de justificar lo que a ella misma debía parecerle innecesario: "No pienso pedir los perdones acostumbrados en tales casos por los innumerables defectos de que estará llena mi traducción; solo diré con la sinceridad que me caracteriza, y de que á mi modo de entender no dexa duda lo que hasta aquí llevo dicho, que la empezé por entretenimiento, sin que me pasase por la imaginacion el darla á la prensa, pero que á ellos me obligaron algunos sugetos que me favorecen con su amistad, de modo que me fue preciso condescender [...] No puedo lisongearme de haberles dado en la traducción [a las máximas morales] toda el alma que tienen en el Original; pero además de que este es un achaque de que comúnmente adolecen las traducciones de hombres diestros, cuyos yerros pueden servir de disculpa al atrevimiento de una muger; espero que se aprovecharán de lo bueno mis lectores, y despreciarán lo malo siquiera porque son faltas involuntarias" (15-17).

Los citados y otros discursos presentan no pocas fisuras desde el momento en que las autoras no pueden sustraerse en muchos casos al orgullo de quienes se saben perfectamente válidas para dichas tareas. Una escritora más bien mediocre como María Cayetana de La Cerda y Vera, condesa de Lalaing, escribe un texto en 1791 donde se atreve a cuestionar el rechazo que su traducción de una obra francesa ha causado por considerársela sospechosa de heterodoxia. Solicita en consecuencia que la obra vuelva a ser leída por censores más ecuánimes, ya que los anteriores "por el corto espacio que tuvieron la obra en su poder, se congetura la vieron precipitadamente, [dando] una censura vaga é infundada y aun capciosa, con unos reparos absolutamente fútiles é insubsistentes" (Serrano y Sanz: III: 4). El 26 de febrero de 1805 Rosa Gálvez se dirige al gobernador del Consejo después de que su comedia, *La familia a la moda*, haya sido tachada de "inmoral" y "escuela de la corrupción y el libertinaje", sosteniendo con firme pulso que la obra no ha sido "bien comprendida", a lo que añade: "no es justo que se la defraude [a la autora] del premio de su trabajo y se la tache de inmoral en sus composiciones, sin darla más razón". Gálvez reclama, como la condesa de Lalaing, "censores de conocida imparcialidad é inteligencia" (Serrano y Sanz: II: 451). La falsa modestia de la Gálvez quedará anulada, pues, en no pocas ocasiones, incluso en su propia obra creativa, como demuestra el poema titulado "La poesía" donde dice, entre otras cosas: "mi genio aspira a verse colocado/en el glorioso templo de la fama". Un tono similar es el de Margarita Hickey cuando escriba al final del Prólogo a un poema dedicado al Capitán Pedro Ceballos, que "naturalmente me lleva mi genio a cosas altas y nobles, y a expresarlas noblemente" (142).

Todas las mencionadas y otras mujeres del momento saben, en el fondo, los motivos principales de la censura, los cuales hace explícitos María Laborda con las siguientes palabras: "Cuando me propuse delatar con la pluma una parte de las muchas ideas que animan mi corazón, se aparecieron a mi mente dos formidables monstruos que con semblante aterrador intentaron confundirme; eran la sátira y el desprecio" (Serrano y

Sanz: III: 1-2). Lo sabían todas, también Madame de Staël, quien en *Corine* consideró que para una mujer la gloria era "el espléndido luto de la felicidad". De lo que no puede dudarse es de la voluntad que todas ellas tuvieron que emplear en desmentir la idea de que una mujer escritora devenía una especie de monstruosidad ridícula y peligrosa. El revolucionario, bibliotecario y periodista francés Sylvain Maréchal había dicho en 1801 que "la Razón quiere que los maridos sean los únicos libros de sus mujeres, libros vivientes en los que, noche y día, ellas deberán aprender a leer sus destinos" (Fraisse: 40): ésta fue el tipo de declaración que garantizaba la reacción de las mujeres y su lucha por un triunfo que la historia no podía negarles y no les negó.

IV
JOSEFA AMAR Y BORBÓN: LA EDUCACIÓN FEMENINA A TRAVÉS DEL ENSAYO

De entre las mujeres españolas de finales del XVIII, destaca la figura de Josefa Amar tanto por su participación en la vida pública como por los textos ensayísticos que escribió, con los que contribuyó, desde una novedosa y valiente conciencia de género, al debate acerca de la educación de la mujer. Gracias en especial a las aportaciones de M.V. López Cordón y C.A. Sullivan sabemos en la actualidad quién fue esa mujer, sobre todo cuáles fueron sus ideas.

Nace en Zaragoza en 1749 en un ambiente tolerante, abierto y propicio al cultivo de las letras, por las que Amar sentirá afición pronto. Al gusto por la lectura de su propia madre, Ignacia Borbón, debe sumarse la condición de catedrático de anatomía de su padre, José Amar, quien junto al abuelo materno, Miguel Borbón (médico de cámara de Fernando VI y Carlos III), debió influir tempranamente en Josefa. La educación familiar es esmerada, estudia con preceptores prestigiosos, aprende a la perfección lenguas clásicas, se impregna de una tradición humanística de la que hará gala después en los textos que escriba, citando a griegos y latinos, a españoles clásicos (muchos de ellos erasmistas), a autores más contemporáneos, ingleses, franceses, italianos, que lee en lengua original, y a algunos de los cuales después traducirá. Tiene a su alcance la importante biblioteca familiar pero también, como ha recordado López Cordón, la recién inaugurada biblioteca pública que frecuentará cuando regrese a Zaragoza con motivo de su matrimonio. Cuando se casa con Joaquín Fuertes Piquer, oídor de la Real Audiencia de Aragón, es ya una mujer formada y consciente de serlo. Esa conciencia es la que la impelerá a luchar por ocupar un espacio público al que desearía que pudieran acceder igualmente todas aquellas mujeres que lo merecieran. En su caso, ese espacio será el de la Sociedad Aragonesa (a la que ella misma solicitó ingresar), la Sociedad Matritense, la Junta de Damas de Honor y Mérito y la Sociedad de Médicos de Barcelona.

Su obra fue igualmente plataforma visible para la presentación de sus ideas. Deben mencionarse algunas traducciones, como, entre otras, la que realiza del italiano en 1782 —y en 1789 en segunda edición—, *Ensayo histórico apologético de la Literatura Española contra las opiniones preocupadas de algunos escritores modernos* (1778-1781) de Javier Lampillas, abate expulsado de España en 1767 junto a toda la orden jesuítica —José Francisco de Isla, Lorenzo Hervás y Panduro, Juan Francisco Masdeu o Esteban de Arteaga—, traducción gracias a la cual Amar entra en la Sociedad de Aragón. En 1783 traduce el *Discurso sobre el problema de que corresponde a los párrocos y curas de las aldeas el instruir a los labradores en los buenos elementos de la economía campestre* de Francisco Griselini. No son las únicas traducciones, pero sí las más destacadas. López Cordón menciona también otras de Plutarco, Ovidio, Cicerón, Terencio... Más allá de las traducciones, destacan sus ensayos, campo en que obtiene un amplio reconocimiento pese a ser un género que a corto plazo no frecuentarán en especial las mujeres. En 1786 publica su obra más atrevida, *Memoria sobre la admisión de señoras en la Sociedad*, en 1787 la *Oración gratulatoria... dirigida a la Junta de Señoras* y en 1790 el extenso y documentado *Discurso sobre la educación física y moral de las mujeres*. Otros ensayos se han perdido.

Poco sabemos sobre el modo en que Amar combinó esta dedicación a las letras con la vida íntima y familiar de la que tanto habló, aunque sin personalizar nunca, en sus escritos, reconociendo la condición de encierro que conllevaba y lo poco grata que podía resultar a veces. El final de su vida es una incógnita. Se sabe que en 1798 fallece su marido y poco después su único hijo. Llega luego la guerra de independencia que no le fue ajena pues parece que participa en los sitios de Zaragoza según M. López Torrijo y C. A. Sullivan (López Cordón: 20). No sabemos con exactitud cuándo muere. Quizás en 1813 o 1833.

Lo que resulta evidente es que fue una de las mujeres más cultas de su época como permiten observar sus propias obras. La cantidad de referencias a otros autores, a otros textos, en especial en el *Discurso*, quizás pueda deberse a la necesidad de ganarse a aquellos que controlaban en exclusiva el mundo de las letras, a esos hombres a los que tenía que convencer de su propio valor. Era un modo de hablar respaldándose en otros. En la autoridad masculina. También es cierto, no obstante, que en no pocas ocasiones Amar va más allá de las autoridades que cita. Interesa detenerse ahora en dos de los textos citados, aquellos en los que Amar proyecta más que en ningún otro algunas de las ideas que más le interesaron: *Memoria sobre la admisión de señoras en la Sociedad* y *Discurso sobre la educación física y moral de las mujeres*. Se diría que la pasión y vehemencia del primero contrasta con la contención del segundo. Debe pensarse que la *Memoria* forma parte de la polémica ya referida y que diversos hombres ya habían defendido la entrada de las mujeres en la Matritense, con lo que hasta cierto punto Amar se podía sentir legitimada para decir lo que dice e incluso para ir algo más allá que sus colegas. El *Discurso* es un ensayo donde se exponen cuestiones relativas a la educación de las mujeres en la ya larga tradición pedagógica e instructiva del siglo XVIII. En principio, en este último la autora no debe defenderse de nada, por eso en apariencia el tono es más expositivo que reivindicativo. Ahora bien, en muchos casos el *Discurso* no será tan tímido como puede parecer a simple vista.

Llama la atención la insistencia de ambos textos en el carácter de construcción de los sexos, lo que ahora llamamos el género. Cierto que Amar apela a diferencias biológicas pero por encima de éstas, insistirá en las diferencias provenientes del entorno y las circunstancias. Para Amar hay una ecuación clara: a la misma educación, el mismo valer. Otra cosa es la necesidad social de que cada uno represente el papel que le corresponde. A la mujer ha tocado el espacio doméstico, pero como éste no es grato muchas veces (y eso se le escapa a Amar en varias ocasiones), conviene el ilustrarse tanto para una misma, como también para los demás, en especial para los propios hijos y las propias hijas. Diferente papel social pero igualdad de entendimiento, pues. Como en Feijóo. Igualdad argumentada extensamente, con rigor y con pocas concesiones, en especial en la *Memoria*, donde ni siquiera se verá obligada a recurrir al tópico de la falsa modestia que sí ha utilizado en otras ocasiones.

Detengámonos un momento en algunos documentos anteriores a la *Memoria* (editados por Sullivan) escritos por Amar en 1782 y 1783 con motivo de su entrada en la Sociedad Aragonesa. Amar recibe el encargo de opinar sobre la traducción de una obra de Francisco Griselini, de corregir sus posibles defectos y de exponer la conveniencia o no de su publicación. Ante dicha solicitud, Amar reconoce el 29 de noviembre de 1782 que tales particulares "los conozco superiores á mis fuerzas; pero como la obediencia suele estar acompañada con el acierto, ó por lo menos hace disculpable qualquiera defecto, acepto gustosa esta comisión". Pocos días más tarde, el 12 de diciembre, y después de haber concluido el encargo, volverá a escribir: "Yo quisiera aver acertado á desempeñar los deseos de la Real Sociedad, pero quedo con el sentimiento de que mis fuerzas no llegan á mas". La Sociedad le encarga finalmente a ella misma la traducción, lo que lleva a Amar a escribir lo siguiente el 21 de enero de 1783: "Los deseos que tengo de servir á la Sociedad son tan grandes, que sin embargo de mis ocupaciones actuales haré todo lo posible por concluir quanto antes el honroso encargo que se á dignado fiar á mi cuidado". La traducción final será luego elogiada por unanimidad.

Cuando se enfrente a la escritura del *Discurso*... el tópico de la humildad femenina será de nuevo utilizado, en este caso probablemente para sortear algunas de las cuestiones más delicadas de sus tesis. Estrategia defensiva, desde luego, con la que las mujeres lograron salvarse en muchas ocasiones. En el mismo Prólogo del *Discurso* Amar sostiene que su obra "está muy distante de la perfección que se requiere" aunque, acto seguido, reconoce sin pudor que no existe en lengua castellana "una obra que comprenda los dos puntos esenciales en la educación [para mujeres], como son la parte física y moral; por lo que no parecerá tan impropio el publicar este libro" (60). Exponemos algunos ejemplos más del recurso a la humildad con la finalidad de evitarse posibles críticas. Hablando de las consecuencias para la salud de la madre de no criar (recuérdense los cuadros terroríficos pintados por los médicos), considera que dicha cuestión es labor de facultativos y por ello "no será razón que yo me entrometa a hablar de ella con separación" (95). La cuestión de la enseñanza de la religión le parecerá espinosa en ciertas ocasiones. Para Amar no hay que crear "santeros" sino "cristianos", aunque reconoce que para ella el asunto "es sobrado delicado para mi pluma" (152). Por último, sobre si los miembros de los futuros matrimonios deben conocerse antes de contraer el vínculo, sostiene Amar que punto tan delicado "no me atrevo a resolver" aunque, añade, "lo más conforme a razón es que procuren conocerse los que han de vivir juntos" (232).

Es toda esta retórica la que está ausente de la *Memoria...* texto en el que sin ambages Amar levanta su pluma contra los hombres, responsabilizándoles de haber convertido a la mujer en un "miembro podrido" (171) separado de la sociedad. El texto se divide en 34 puntos, y desde el primero el tono es de clara denuncia: los hombres niegan la educación a las mujeres y después lamentan que sean ignorantes: "No contentos los hombres con haberse reservado los empleos, las honras, las utilidades; en una palabra, todo lo que puede animar su aplicación y desvelo, han despojado a las mujeres hasta de la complacencia que resulta de tener un entendimiento ilustrado" (163). El meollo del asunto sigue siendo para Amar, como para Feijóo unas décadas antes, el entendimiento de las mujeres que muchos aún se niegan a reconocerles, atribuyéndoles en consecuencia todos los males del mundo. La situación se agrava con el hecho de que las propias mujeres llegan a persuadirse de su propia ignorancia innata, lo que había advertido igualmente Feijóo al escribir que "han gritado tanto sobre que todas las mujeres son de cortísimo alcance, que no a muchas, sino a las más, ya se lo han hecho creer" (43). Este es uno de los motivos por los que Amar escribe este texto: para que nadie piense que les es indiferente a las mujeres la entrada en la Matritense, para que no se confirme el prejuicio de que a las mujeres les interesa sólo acicalarse para exhibirse ante los hombres compitiendo con otras mujeres.

A la idea de que no todas las mujeres son necias, suma Amar

la de que no todos los hombres son inteligentes, de ahí que sostenga que "es seguro que todas las mujeres no deben ser admitidas a la Sociedad, como tampoco son del caso para ella todos los hombres" (171), y añada líneas más adelante: "Yo quisiera saber cuántos de los hombres que a ellas concurren tienen estos conocimientos elementales, y con todo asisten y dan su voto" (173). A ello volverá en el *Discurso* cuando escriba: "se dice, y con razón, que en ambos sexos se halla a veces igualdad de talento; pero no se infiere de esto que todos los individuos tienen el mismo" (171). Esto sirve para las mujeres, pero también para los hombres. Lo novedoso es que sirva para los hombres, claro. Se trata de defender el talento de la persona, no del sexo. A lo que Amar no está dispuesta es a que se la considere inferior por su condición de mujer. En el prólogo citado de María Romero Masegosa, las faltas de los hombres, recuérdese, sirven estratégicamente a la autora para disculpar las suyas propias.

Aunque Amar no insista en especial, el argumento religioso en la defensa de la igualdad de los sexos no está ausente de su escritura. En el *Discurso*, y hablando de la enseñanza religiosa en la infancia, dirá que "ni los preceptos del Decálogo, ni las leyes evangélicas hacen la menor distinción en este particular. Del mismo modo hablan con las mujeres que con los hombres" (148). Y en la *Memoria* incluso relee con perspicacia el mito de Eva considerando que la curiosidad "suele ser indicio de talento porque sin él, nadie hace diligencias exquisitas para instruirse" (165). Alguna complicación al respecto tuvo seguro el padre Feijóo quien, tras defender la igualdad de las mujeres respecto de los hombres, se ve obligado a justificar el dominio masculino que Dios establece en el Antiguo Testamento y la responsabilidad de Eva en la caída. Refiriéndose al capítulo 3 del Génesis, escribirá entonces que "el sentido específico de este texto no se sabe con certeza, por la variación de las versiones" (77). Más adelante, no obstante, la dificultad no será ya la de las versiones sino la de la propia divinidad: "en las divinas resoluciones ignoramos por la mayor parte los motivos" (78), escribe precavido y atrevido al mismo tiempo.

Una de las conclusiones más interesantes de Amar en relación a la cuestión de la igualdad es la de considerar que no existen cualidades propias de los sexos sino, de nuevo, de las personas. "No hay prenda que no sea común a entreambos sexos" escribirá en la *Memoria* (168). Y novedosamente hablará en el *Discurso* de mujeres valientes y hombres cobardes, de mujeres sigilosas y hombres imprudentes, de madres "ásperas y crueles" y padres "que se inclinan al extremo de la blandura" (143). Sostendrá también que la supuesta "delicadeza" femenina "consiste más en la educación que en la organización interior" (*Discurso*: 111). Es más, añade Amar, se hace necesario reclamar "una fortaleza varonil en las mujeres" (81). Es la premisa de todo el siglo, aunque algunos en relación a la mujer no quisieron considerarla: es la educación la que forma a los individuos más allá del nacimiento. Obsérvese la siguiente reflexión del *Discurso* en la que incluso la condición maternal está más ligada a la cultura que a la naturaleza: "La educación y cuidado de los hijos pertenece del mismo modo a los padres que a las madres, pero como la naturaleza los deposita por cierto tiempo en el seno de éstas y les suministra los medios de alimentarlos en los primeros meses, parece que en cierta manera están más obligadas a su conservación y manejo. Hay también otra razón, cual es la de que están más tiempo en casa; y teniendo casi siempre a la vista a sus hijos, pueden conocerlos mejor y corregirlos" (74-75). La madre no nace, se hace.

Una vez establecida la fundamental importancia de la educación, Amar se detiene, en especial en el *Discurso*, en el modelo educativo necesario para la mujer. Reconoce Amar la existencia, en efecto, de mujeres preocupadas tan sólo de sus apariencias, aunque lejos de responsabilizarlas, apela a la mala educación favorecida en gran parte por los propios hombres. Insistirá en ello en el *Discurso* con cierta prudencia que no evitará en otros momentos la rotundidad de su juicio: "Si este deseo nace con las mujeres o se ha de atribuir la culpa a los hombres que han adoptado este lenguaje, y le usan siempre, aunque no siempre sea verdadero, es un problema difícil de resolver" (206). Léase ahora con atención el siguiente párrafo, donde refiriéndose a niñas y a niños, escribe Amar: "Nacen sin habla, sin ideas, sin costumbres y sin fuerzas: todo se va formando después con el uso, con la imitación y con los documentos que recibe" (218). Y un poco más adelante, confirma que las cualidades que distinguen a hombres y a mujeres "no son efecto las más de las veces de su propia industria" (216). La petición de Amar está clara: permitamos que las mujeres se interesen por otras cosas, permitamos que, por ejemplo, entren en la Matritense y las ganaremos para la causa de todos. Esta es su declaración en la *Memoria*: "Si las mujeres tuvieran la misma educación que los hombres harían tanto o más que éstos" (168). La propia historia, recuerda Amar, presenta ejemplos de mujeres cultas e inteligentes que han contribuido con sus plumas o sus actos al bienestar general y público.

Las reflexiones sobre la educación femenina de Amar denotan, sin duda, profundidad de juicio. No se trata sólo, sostendrá, de permitir que las mujeres se instruyan sino también de que obtengan beneficios. Y es que las mujeres saben que "sus ideas no tienen más extensión que las paredes de una casa o de un convento" (*Memoria*:164) y, así, reconoce, "mucha magnanimidad de espíritu se requiere para emprender y seguir la penosa carrera de las letras por la sola complacencia de ilustrar el entendimiento". A la cuestión del "premio" o el "aplauso moderado" se referirá también en el *Discurso*, insistiendo entonces en que la satisfacción de la educación para la mujer es social pero también personal.

No obstante lo expuesto, Amar no llega a plantear nunca que la mujer deje de habitar el espacio doméstico. Lo que, sin embargo, no hay en ningún momento es mística alguna de la domesticidad. Ella misma reconoce en el *Discurso* que la ilustración servirá a las mujeres para, entre otras cosas, sobrellevar el encierro, para "hacer más suave y agradable el yugo del matrimonio" (72), para "hacer más grato el retiro" (170), para borrar o desfigurar "aquella idea de servidumbre, que representa el continuo cuidado y gobierno doméstico; y este cuidado alivia otras veces de las fatigas mentales, que no pueden ejercitarse siempre por ser limitadas las fuerzas" (188). De hecho, Amar habla del estado religioso como del más idóneo para la mujer, gracias al cual ésta "se libra de un golpe de los cuidados de la familia, de los hijos, y principalmente de los disgustos que son consiguientes en un matrimonio" (226). El único problema es la verdadera vocación, que para Amar existe en muy raras ocasiones.

Lo inadmisible para Amar es la universalidad de la sujeción y la ignorancia de las mujeres. "En una parte del mundo son esclavas, en la otra dependientes" dirá en la *Memoria* (163). Si las cadenas caracterizan a las mujeres en otras latitudes, lo característico de occidente es esa ambigüedad consistente en culpabilizar a las mujeres de todos los males y al mismo tiempo alabarlas como musas inspiradoras, casi más allá de lo humano. Contra ese maniqueísmo escribe Amar, que denuncia en este aspecto lo que ella considera un falso halago. Así lo dirá en la *Memoria*: "¿No reciben unas veces adoraciones y homenajes siendo su gusto la Ley, su aprobación la que satisface los deseos de un escritor, la que adorna los laureles de un conquistador y colma la gloria de un héroe? Pero no se desvanezcan por esto las mujeres, porque los mismos hombres que las tratan de esta manera gritarían después en una asamblea que no tienen discernimiento, que no saben estimar las cosas buenas y sólidas, y que se dejan arrastrar de una vana y frívola apariencia" (164-165). El tema de ese doble discurso preocupa a Amar porque, a su juicio, equivoca a las mujeres en muchos aspectos, en especial, en el amoroso.

El amor es para Amar una de las pasiones más engañosas y dañinas para las mujeres precisamente por la tendencia adquirida que éstas muestran a la alabanza y al aplauso. El combate que se libra en este campo, sostiene Amar en el *Discurso*, es desigual para uno y otro sexo: "El hombre tiene de su parte la astucia, el descaro, y la experiencia de otros lances semejantes, mientras una pobre muchacha que empieza entonces a conocer el mundo cree que es verdad todo lo que oye" (221). Y añade en una declaración casi postmoderna: "No hay lenguaje más parecido al de la verdad que el de la mentira". Similar parecer había sido también el del padre Feijóo al sostener, refiriéndose a las ideas de Malebranche sobre las mujeres: "Lo que yo siento es que con esos discursos filosóficos, todo se puede probar, y nada se prueba" (57). De ahí una de las recomendaciones de Amar: evitar la lectura de novelas que fomenten aquella propensión. Frente al amor, la defensa de Amar es la de la instrucción. No se trata sólo de que el justo medio defendido por la Ilustración arremeta contra el desequilibrio de ciertas pasiones sino de que, en el caso de las mujeres, éstas son doblemente perdedoras: en cuanto amantes pero, sobre todo, en cuanto mujeres. En efecto, entregarse al amor podía conducir en muchos casos a la mujer hacia la muerte pública.

Hasta aquí las ideas compartidas y repetidas en la *Memoria* y el *Discurso*. Vale la pena detenerse ahora en este último, puesto que en él Amar desarrolla el régimen de vida físico y moral mejor, a su juicio, para las mujeres y para el Estado. No existe en el XVIII español otro texto de autoría femenina de la misma profundidad y extensión. Una amplia parte del texto está destinada a la mujer embarazada, a los cuidados exigibles para sí misma y para el futuro hijo. Recordemos que el matrimonio es el modo de vida más accesible para la mujer, ya que la vocación religiosa es excepcional. No obstante, importa señalar que Amar no olvida a la soltera aunque no se detenga en esa figura considerada para la opinión pública como un "cero, que normalmente sirve de embarazo hasta en su misma casa, y para sí es una situación miserable" (225). La opinión pública es para Amar, como añade más adelante, "más poderosa que todas las razones" (226). Así, pues, el *Discurso* está destinado a las mujeres (de clases elevadas) en relación al matrimonio y al papel que les toca desempeñar en su seno. El de Amar es aquí un discurso higienista en la línea de otros del siglo, destinados a normativizar unos hábitos de salud, necesarios, entre otras cosas, para evitar enfermedades a la madre o al hijo e incluso para evitar sus propias muertes —hábitos entre los que se cuenta la famosa cotilla que oprimía el abdomen y el tórax—. Es cierto que la norma es en ocasiones mera coacción y la salud mera excusa para un control sobre la mujer pero también son ciertos los innumerables problemas provocados por algunas costumbres y por una profunda ignorancia. Aparte, a la propia medicina le quedaba mucho por desarrollar, como demuestra la cantidad de dificultosos y fatales partos de muchas mujeres, entre ellas la propia reina María Luisa.

No vamos aquí a enumerar todos los consejos que Amar reparte entre las futuras esposas y madres de familia, sólo destacar algunas de las reflexiones de mayor relevancia. Capítulo destacado es, desde luego, el de la lactancia materna, sobre el que el discurso médico fue con probabilidad más coactivo. Aquí introduce Amar el delicado tema de las nodrizas, que presenta dos vertientes: la impericia de algunas amas y la indiferencia de algunas madres y padres, que exponen en muchos momentos a sus hijos a un alto grado de mortalidad. Amar sostiene, como todos los que escribieron del tema, la naturalidad de amamantar a los hijos hasta el punto de que "acaso le será más útil la leche de una madre enfermiza y débil a su hijo, que la de otra mujer extraña más fuerte y robusta" (93). No obstante, Amar también reconoce que en ocasiones las madres no pueden criar a los hijos, exponiendo entonces cuáles deben ser las características del ama de cría: una salud física a la que debe sumarse una salud moral ya que, como quedó dicho más arriba, es creencia aún en el XVIII que ésta se transmite también por la leche. A la cuestión del amamantamiento se siguen otras relativas también a la infancia de niños y niñas como la moda de fajar, el baño, la curación de ciertas enfermedades, la necesidad de que las prendas no les impidan la libertad de movimiento, la oportunidad de las madres y los padres de practicar el ejemplo y no el castigo, etc.

Es en las cuestiones morales en las que Amar particulariza sus reflexiones aplicándolas a las niñas. Según Sullivan, se trata de una educación moral que deviene un traslado a lo femenino de lo propuesto por John Locke para el hombre en *Some Thoughts Concerning Education* (1997: 329). Se trata de una educación, escribe la misma Amar, que apunte al "recto uso de las facultades racionales para obrar con cordura y discreción, para desempeñar las obligaciones comunes a todos, las particulares de cada uno, y finalmente para ser feliz en su estado y circunstancias" (135). Amar no subvierte nada en este texto —la mujer debe controlar sus deseos, hablar cuando le toca con discreción, etc.— pero quizás tampoco es tan inocente como puede parecer. En cierta ocasión sostiene que "es una prueba del uso racional de sus propias facultades el depender lo menos que se pueda de los otros" (155). La afirmación se refiere a aquellas mujeres que dependen de sus criados, en los que han delegado todas las labores domésticas. Quizás Amar está pensando también en otro tipo de dependencia.

En la *Memoria* ya había demostrado que la buena educación puede formar a mujeres tan válidas como los hombres. Aquí acepta la convención de que a la mujer le ha tocado habitar y gobernar el ámbito doméstico, lo que, por otro lado, es tarea, reconoce Amar, que supone esfuerzo y razón. De lo que se trata, no obstante, es de que las mujeres "se instruyan para su propia utilidad" (214), lo cual, añade en otro momento, "influiría también más de lo que se cree en la instrucción y civilidad de los mismos hombres" (249). Aquí es donde expone su plan educativo. Leer y escribir es conveniente a todas las mujeres, igual que el conocimiento de la lengua nativa, de máximas filosóficas (de Plutarco, Cicerón, Pérez de Oliva, Luis Vives o Pedro de Rúa, entre otros), de aritmética, de historia. Esto es lo básico. Para la que quiera ilustrase más, Amar recomienda la gramática latina que permitirá el acercamiento a los libros sagrados, la lengua griega, lenguas modernas, geografía... Luego, explica, hay disciplinas para las que se requieren cualidades especiales, de ahí que no todas las mujeres puedan dedicarse a ellas (al igual que tampoco todos los hombres). Es el caso del dibujo, la música o el baile, este último recomendado por Amar en tanto agiliza el cuerpo y da mayor gracia a sus movimientos.

No cabe duda de que el *Discurso* de Amar está escrito en defensa de las mujeres aunque se aleja del canto a las excelencias femeninas que había recorrido la tradición. Amar no pretende elogiar las virtudes de las mujeres sino combatir sus vicios. No idealiza sino que analiza. Su discurso es moderno porque es crítico, aunque su propia época y las circunstancias que la envuelven impidan que rompa el tradicional reparto de papeles. Lo dice con claridad al escribir lo siguiente:

> "Debe ser parte de la buena crianza de una señorita que piensa en casarse el saber que si la obligación del marido es adquirir o conservar lo necesario para la decencia de su casa, y depositar en su mujer aquella confianza que mantiene el aprecio recíproco, la suya es distribuir con prudente economía esos mismos intereses, cuidar de los hijos, de la casa y familia, y aliviar con su agrado, con su afabilidad y con su discreta conversación los disgustos que produce a los hombres el manejo de los negocios y la carga de los empleos" (234-235).

El reposo del guerrero. Lo había dicho con anterioridad: "Este descanso y alivio será completo si tiene una mujer apacible y discreta con quien confiar sus secretos y alternar en una conversación racional" (74). Amar no es ninguna revolucionaria, es una reformadora en la España del XVIII: "No formemos, pues, un plan fantástico: tratemos sólo de rectificar en lo posible el ya establecido" (72). Sólo a través de esta perspectiva se puede valorar a esta mujer consciente de su cultura y su capacidad que quiso participar, fuera de las paredes de su casa, en los debates de su época, consiguiendo un excepcional reconocimiento.

V
INÉS JOYES: EL ESPEJO DE LA TRADUCCIÓN

Inés Joyes y Blake forma parte del grupo de traductoras que, en especial, a finales del XVIII conformaron una parte nada desdeñable del mundo de las letras. La traducción constituyó para ellas un discreto modo de hablar. A través de las adiciones, supresiones o adaptaciones del texto original lograron proyectar en éste una expresión propia. Una originalidad camuflada. Aparte quedan algunos prólogos o epílogos, algunos de los cuales constituyen auténticos manifiestos de una conciencia política femenina. En ocasiones estas mujeres traducen a otras mujeres. Casi siempre se dirigen a mujeres. Así sucede en España y en otros países. Respecto de los textos que se traducen, son de diversa índole. Algunos están vinculados a la religiosidad jansenista, como *Instrucciones sobre el matrimonio* de Le Tourneux, traducido, como quedó dicho, por la condesa de Montijo; otros a cuestiones morales, como el *Tratado de los estudios* de Rollin que tradujo Catalina de Caso, también las *Obras* de Mme. de Lambert traducidas por Cayetana de la Cerda, o las *Conversaciones* de Mme. d'Epinay que traduce Ana Muñoz; otros textos son de signo científico o filosófico, entre otros, la *Historia del cielo* de Pluche trasladada al castellano por Catalina de Caso o *La lengua de los cálculos* de Condillac por la marquesa de Espeja (Bolufer:1998:332).

Conviene señalar algunas cuestiones previas por lo que respecta al ejercicio de la traducción. En primer lugar, el traductor es en el XVIII una figura con la responsabilidad de adaptar a la moralidad, costumbres, gustos y sensibilidad de su país la obra original, lo que se ha llamado "nacionalización" o, en el mismo siglo XVIII, "connaturalización". Ello explica que las traducciones pocas veces respeten la literalidad del texto original sino que sean verdaderas adaptaciones, "belles infidèles". Véanse los siguientes argumentos de María Romero Masegosa con los que justifica los cambios en su traducción de las *Cartas peruanas* respecto del original francés. Obsérvese cómo religiosidad católica, patriotismo y moralidad se dan la mano en este ilustrador prólogo: "Pertenecen á lo primero [a las supresiones] algunas expresiones poco decorosas á nuestra sagrada Religión; pues aunque se habla por boca de una Gentil, no es esta razón suficiente para que dexe de causar desagrado al delicado y católico modo de pensar de la Nación Española [...] Es además cosa mui sabida el modo con que se explican los Extrangeros (ó por capricho, ó por envidia, que me parece lo más cierto) quando tratan de nuestros descubrimientos y conquistas en América. Empeñados en probar que el intento de nuestros Reyes Católicos no fue el de propagar la Doctrina Evangélica, se valen de qualquiera ocasión para denigrar la conducta de los Españoles en aquellos Países [...] También me pareció preciso añadir alguna cosa en la parte perteneciente á la corrección de costumbres" (6-8). Debe añadirse ahora que en España se traducía mayoritariamente del francés, incluidos textos ingleses y alemanes que se conocieron aquí a través de las versiones francesas. Se creaba entonces la situación de que a la manipulación del traductor español había que añadir la previa del traductor francés. Doblemente infieles, pues, algunas de nuestras traducciones.

Capítulo aparte merece la traducción de obras propiamente

literarias y, en especial, de novelas, aunque en ocasiones es difícil establecer con claridad los límites de los géneros, ya que toda la literatura del XVIII presenta un alto componente didáctico y educativo. El concepto de "literatura" se identifica entonces de modo general con el de "letras" o, en sentido más preciso y más próximo si se quiere, con el de "poesía" (que abarca asimismo el "teatro"). Respecto de la "novela", es todavía en el XVIII un género menor que tiende a nombrarse en numerosas ocasiones por el más prestigioso de "historia" ya que, entre otras cuestiones, carece de una preceptiva clásica que lo avale como tal. Su esfuerzo será, en consecuencia, abrirse paso entre los otros géneros y dignificarse como forma literaria. En el caso de España, no fue desde luego el género por excelencia de las letras del XVIII, en especial en su primera mitad, lo que no quiere decir que fuera inexistente como constatan las obras de Pedro Montengón, Ignacio García Malo, Vicente Martínez Colomer, José Mor de Fuentes, entre otros. Existieron asimismo teóricos del género y, lo que fue fundamental, impresores, editores y un público lector que, sobre todo en los últimos años del siglo, reclama las nuevas obras, pese a que precisamente en 1799 se prohibe, aunque sin resultados favorables, la publicación de novelas. Ahora bien, la forma primordial que adopta la novela en nuestro país es la de la traducción, una práctica que se extenderá hasta bien entrado el siglo XIX, lo que llevaría a Mariano José de Larra a hablar de España como de un país traducido.

Es la traducción de novela inglesa la que ahora nos interesa. Como se sabe, títulos de excepción han sido para la historia de la literatura *Robinson Crusoe* de Daniel Defoe (1719), *Los Viajes de Gulliver* de Jonathan Swift (1721-1725), *Pamela* de Samuel Richardson (1740-1741), *Tom Jones* de Henry Fielding (1749), *Tristam Shandy* de Laurence Sterne (1760) o *Rasselas* de Samuel Johnson (1759) entre otros. La libertad de la sociedad inglesa de la época queda reflejada en muchas de estas obras aunque fuera luego matizada en las versiones francesas y españolas como demuestra, entre otras cuestiones, el propio tratamiento de los caracteres femeninos. "Las heroínas inglesas —constata Eterio Pajares— se encuentran más liberadas y claman en contra de una sociedad hecha por y para hombres" (1999: 349). El novelista Ignacio García Malo, traductor de *Pamela Andrews* en 1794, recurriendo al tan dieciochesco parámetro moralista universal, escribía lo siguiente en el prólogo a dicha obra: "Sea porque las costumbres de Inglaterra están más corrompidas que las nuestras, o porque la índole de la lengua inglesa admite ciertas expresiones e idiotismos que sonarían mal en la nuestra, hemos juzgado oportuno reformarlas o suprimirlas, sin que por esto falte nada a la acción principal o al fondo de la historia… Que se diga o no con las mismas palabras del autor, y aun con los mismos episodios, importa poco para la moralidad que se pretende sacar, que es y debe ser común a todos los países de la tierra" (Álvarez Barrientos: 203).

Lo que interesa destacar ahora es que la mayoría de estas novelas inglesas se traducen al español desde las versiones francesas. No así *Rasselas*, traducida brillante y directamente del inglés por la traductora que ahora nos ocupa, Inés Joyes. No conocemos más obras de esta mujer que decidió traducir esta novela de signo filosófico, utópico, situada en escenarios lejanos, lo que debió evitarle algunos de los habituales problemas con la censura, como ha visto Pajares (2000a) —también el género pastoril, tan importante en una autora como Margarita Hickey, pudo siempre permitirse ciertas licencias morales—. A Joyes hay que situarla junto a otras traductoras y novelistas españolas del último tercio del XVIII que se asoman al mundo de las letras, aunque como ha estudiado con detenimiento García Garrosa, ni en la forma ni en los contenidos esas mujeres "supieron aprovechar el poder 'revolucionario' de la novela en esos años" (174). Ahora bien, Joyes es una excepción en cierto modo, lo mismo que otras dos mujeres que proyectaron en sus textos ideas nuevas y atrevidas, su propia sensibilidad de mujeres conscientes de serlo. Se trata, como ha recordado García Garrosa, de Joaquina Basarán, que traduce en 1766-67 *Historia de Gil Blas de Santillana* de Alain-René Lesage, y la ya citada María Romero Masegosa que vierte al español en 1792 la novela epistolar de Mme. de Graffigny, *Cartas de una peruana.*

La figura de Joyes y su versión de *Rasselas* merecen destacarse por muchos motivos. En primer término, por estar escrita esta traducción, como queda dicho, directamente del inglés, lo que puede explicarse por la ascendencia irlandesa de la autora —la primera traducción al francés poco después del original fue debida a otra mujer, Octavie Belot, pero no parece que Joyes la utilizara de puente (Pajares:2000a:90)—. Estamos ante una versión más o menos literal respecto de la original, lo que no era desde luego muy habitual como asimismo se ha indicado. Los mínimos cambios que Joyes introduce en su texto —estudiados con detenimiento por Eterio Pajares— pueden deberse a la censura eclesiástica, que insistiría en dotar a algunos pasajes del texto de mayor espíritu devoto. A todas estas novedades hay que añadir que Joyes sustituye el habitual prólogo por una reivindicativa y militante "Apología de las mugeres" que coloca al final de la traducción. Todo ello es motivo suficiente para considerar a Joyes como una figura de excepción en el panorama de las letras españolas de fines del XVIII.

De su propia vida podemos decir aún poca cosa. Aunque no acaben de perfilar una biografía nítida, Eterio Pajares y tam-

En defensa de la instrucción femenina
María Romero Masegosa, *Cartas de una peruana* (1792), traducción de la novela de Mme. de Graffigny, *Lettres d'une péruvienne* (1752)

[Esta traducción] con todas sus añadiduras y rivetes está destinada para las personas de mi sexo; [...] Son mui pocas las Señoritas que procuran adornar su espíritu con la lectura de libros provechosos. Regularmente empleamos todos nuestros conatos en los adornos del cuerpo, teniendo (digámoslo así) ociosa y abandonada esta alma racional con que nos honró el Ser Supremo, y que nos distingue de los brutos. Esta prerrogativa tan superior debiera más bien avergonzarnos que envanecernos, si considerasemos el mal uso que hacemos de alaja tan excelente. Me intereso en sumo grado en los adelantamientos de mi sexo; y ya que mis esfuerzos no pueden ser suficientes para inspirarles otro modo de pensar más ventajoso, les suplico que apartando á un lado los aparentes obstáculos que pueden impedirles adornar sus almas con conocimientos propios de su nobleza, se apliquen á la lectura de libros morales é instructivos, para que ocupadas en tan útil quanto agradable diversión miren con horror el vicio, y amén la virtud [...] Acostumbradas desde la niñez á ocupar nuestras potencias intelectuales en vagatelas pueriles y vergonzosas, nos confundimos y damos por las paredes quando queremos salir de los estrechos límites de nuestros conocimientos, y volvemos irremediablemente al camino trillado.

(María Romero Masegosa:5, 9-12)

bién Mónica Bolufer han ofrecido diversos datos de interés. Inés Joyes y Joyes, al casarse Inés Joyes y Blake, nació en Madrid en 1731. No parece que muriera con anterioridad a 1806 (Bolufer:2004:40). Su madre era francesa, de origen irlandés, y el padre había nacido directamente en Irlanda. Laicismo e ilustración fueron dos constantes en esta familia perteneciente a la burguesía de negocios. Hasta los 20 años reside en Madrid. Se trasladará a Málaga y luego a Vélez-Málaga con motivo de su matrimonio con Agustín Blake, dedicado al comercio de críticos y asimismo de origen irlandés. En 1782 muere el marido dejando cinco hijos y cuatro hijas, todos solteros, de los que se ocupará Inés al tiempo que defiende los intereses de la familia en relación a los negocios del esposo (Bolufer: 2004: 37-38). Aunque no se tiene constancia de sus actividades públicas, para Bolufer resulta verosímil que "participara en reuniones y tertulias, y que su propia casa constituyese un enclave de sociabilidad cultural en la pequeña ciudad de Vélez-Málaga" (2004:39). A los todavía pocos datos de su vida, hay que añadir que, por lo que se nos alcanza, sólo escribió la traducción de *The prince of Abyssinia* o *Rasselas*. Lo primero que hay que preguntarse es por qué escogió esta novela que, por cierto, dedica Joyes a Doña María Josefa Pimentel, Duquesa de Osuna, directora de la Junta de Damas. Aparte de la hipótesis de que la propia naturaleza de la novela evitaría el enfrentamiento abierto con la censura, es plausible que Joyes se sintiera atraída por su protagonismo femenino.

La novela es el relato de un viaje iniciático protagonizado en primer término por Raselas, Príncipe de Abisinia, quien vive en el reino de su padre en "feliz cautiverio" (3), hasta que un día descubre la necesidad de conocer el mundo y a los hombres para así escoger el modo de vida que le devuelva una felicidad que ha perdido. No se trata de la felicidad de la ignorancia sino de una felicidad "racional" (15), es decir, consciente de sí misma, dotada de sentido en sí misma. Es esa felicidad la que debe reinar en el mundo y en la vida de las gentes, también en la de las mujeres como se deriva de la siguiente declaración del Príncipe: "Quando yo busque muger mi primera pregunta será, si es de aquellas que se dexan gobernar por la razón" (101). Si ilustrados son los propósitos del Príncipe, quijotescas son algunas de sus ensoñaciones cuando imagina no sólo su propia felicidad sino también la de los demás: "Un día se figuró que una doncellita agraviada por un amante traidor, lloraba y clamaba á él pidiendo justicia y venganza" (14). Su viaje iniciático, para el que ha contado con la guía del poeta y filósofo Imlac, contrapunto pragmático a su propio idealismo, acabará como el del personaje cervantino: con una desengañada vuelta a casa, tras descubrir que ningún modo de vida evita el dolor y permite una felicidad duradera. No hay felicidad ni en la juventud ni en la vejez, ni en la soledad ni en el trato con las gentes, ni en la sabiduría ni en la ignorancia, ni en el mando ni en la mediana fortuna. No está de más recordar que fueron precisamente los novelistas ingleses del momento los primeros en realizar una atinada y precisa lectura de la obra de Cervantes que superaba, sin anularla, la interpretación de obra meramente satírica. Ellos fueron los que convirtieron *El Quijote* en una "novela". En el sentido moderno de la palabra. Herederos privilegiados del realismo cervantino, los ingleses adelantaron a los españoles en la forja de un nuevo modo narrativo que en España empezaría a sembrarse, en verdad, a finales del XVIII pero que daría sus más felices frutos en la siguiente centuria.

Debe destacarse que dos personajes más se suman a la expedición de *Rasselas*, dialogando de igual a igual con el Príncipe y su guía, y que a medida que avance la novela irán adquiriendo mayor protagonismo: la hermana del Príncipe, Nehayah, y su favorita, Pehuah. El propósito que guía a la primera es el mismo que a Raselas: "Yo estoy tan fastidiada de este encierro como vos, y tengo igual deseo de saber lo que pasa y lo que se padece en el mundo" (54). Se asiste, pues, en la novela a la búsqueda del conocimiento por parte de Nehayah sin que en ningún momento su condición de mujer obstaculice dicha empresa. Ajena a las preocupaciones habituales de su sexo, o sea, a la planificación de su matrimonio, el personaje habla de éste "como uno de los innumerables modos de miseria humana" (96). Frente al matrimonio, al final de la novela sueña con dirigir "un colegio de mugeres doctas" del que nazcan "modelos de prudencia y dechados de virtud" (172).

Interesa también el personaje de Pehuah, la dama de compañía de Nehayah, raptada por los árabes y más tarde liberada, lo que da pie en la novela a la reflexión sobre otros modos de vida, en especial de las mujeres árabes. No hay en *El príncipe de Abisinia*, sin embargo, retrato matizado del mundo árabe sino proyección de unas preocupaciones y una sensibilidad claramente ilustradas y europeas —lo que Edward Said ha denominado formas de "orientalismo"—. Las mujeres árabes permanecen en la novela atadas a aquella minoría de edad kantiana en tanto sus diversiones son juegos de niñas, su única ocupación es coser y bordar, su conversación es vacua porque no "sabían leer para adquirir conocimientos" y por eso "sus ideas se limitaban á aquellas pocas cosas á que su vista alcanzaba, y apenas tenían nombres para más cosas que sus vestidos y comida" (138). La novela contrapone, así, la razón europea a la sinrazón árabe. Pero como dicha contraposición se aplica al mundo femenino, esa razón queda definida como en la propia Europa dieciochesca: razón práctica, no teórica. Todo ello queda plasmado con diafanidad en el concepto de "esclavismo" de las mujeres árabes en esta novela, de muy distinto signo de aquél sobre el que reflexionaba Josefa Amar en la *Memoria.* Para Amar, esas mujeres estaban sometidas a un sistema de dominio masculino que las limitaba en sus posibilidades. Aquí no hay, contrariamente, responsabilidad alguna del "Árabe" que las gobierna, es más, se sostiene que dicho hombre sólo puede mirarlas con superioridad ya que "su conversación no le servía para aliviar el tedio de la vida, y como no tenían eleccion, su cariño aparente o verdadero, no excitaba en él complacencia ni gratitud" (139). Se diría que aquí el Árabe es más bien víctima de esas mujeres ignorantes, como lo son para algunos y algunas en Europa esos hombres casados con petimetras y mujeres frívolas, las cuales han olvidado sus naturales quehaceres, sus necesarios deberes: la ciencia de los medios, la razón práctica. En quien Joyes debió verse reflejada como mujer ilustrada y europea fue en las mujeres protagonistas de la novela, las cuales, no obstante, no parecen especialmente preocupadas por cumplir la función que la naturaleza les ha encomendado: servir a los intereses masculinos. Más bien se guían por servir a los suyos propios. Mujeres con deseos de aprender, que se mueven y hablan con la misma libertad que los hombres. Más difícil es, como se ve aquí y como demuestra también, entre otras, *Zinda* de Rosa Gálvez, la representación de un pueblo distinto al propio.

Es precisamente la cuestión de la mujer la que ocupa el extenso texto que Joyes añade al final de su traducción, al que pone por título, "Apología de las mugeres", dedicándoselo a sus hijas. Una "Advertencia" previa da algunas claves de la propia escritura de Joyes. Explica ésta cómo el texto ha nacido de una conversación con sus propias hijas en que se defendía a las mujeres pero que, como suele ocurrir en las conversaciones, de esa cuestión se derivaron otras que, en conjunto, acabaron constituyendo la "Apología" propiamente dicha. En efecto, el tono de Joyes es en esta última espontáneo, fresco y directo, aspectos que ella misma relaciona con cierta naturaleza femenina al oponer "el pedantismo de los que se llaman sabios" a la "sana razón natural y la sencilla explicación de las mugeres". Se trata de uno de los tópicos, ya referido, de la escritura de mujeres: la supuesta naturalidad de un estilo que, sin embargo, en el caso de los hombres implica esfuerzo y trabajo. ¿Se ve Joyes obligada a utilizar el tópico de la excelencia epistolar femenina o cree verdaderamente en esa excelencia como algo natural? No lo sabremos nunca. Lo cierto es que todo su texto tiene esa apariencia de conversación fluida y amena, alejado en ese aspecto del tono erudito y más denso de la obra de Amar. Lo importante es subrayar que se trata de apariencias, es decir, que también lo conversacional requiere un arte y un esfuerzo, como señalaba, por cierto, uno de los referentes más importantes para las mujeres del XVIII, Benito Jerónimo Feijóo, al hablar de la escritura del ensayo. La "Advertencia" de Joyes termina con una apelación a los lectores, que ya no forma parte de ningún tópico sino de su sentir convencido: "Se abstengan de críticas mordaces ó impertinentes; pues confío no me faltarán en todo caso protectoras que se animen á emprender mi defensa".

Detengámonos ahora propiamente en la "Apología", con la que Joyes, como Amar, quiere situarse, pese al título, más allá de la polarizada polémica acerca de la excelencia o vituperio de las mujeres. No se trata de ensalzar las supuestas virtudes del propio sexo sino de situar con objetividad el problema: "No puedo sufrir con paciencia el ridículo papel que generalmente hacemos las mujeres en el mundo, unas veces idolatradas como deidades y otras despreciadas aun por hombres que tienen fama de sabios" (177). De ese maniqueísmo, que también había denunciado Feijóo con rotundidad, responsabiliza Joyes en primer término a los hombres pero también a las propias mujeres, las cuales intentan aproximarse con necedad a los modelos establecidos por aquéllos, cayendo al final en el "infeliz estado" (177) en que viven. El nervio central del problema femenino reside para Joyes en el mundo de las apariencias a que se ha relegado a las mujeres, identificándolas meramente con sus cuerpos, sus rostros y aquellos artificios que los envuelven: "Toda su existencia se pasa en ser, quando niñas, juguetes de sus padres y familias, y en llegando á la edad florida, idolillos vanamente adorados y ofuscados con el mismo incienso que se les tributa" (185-186). Tiranas de la moda, las mujeres acaban siendo esclavas de sus maridos o, en versión dieciochesca, esclavas de sus cortejos. Ante esta realidad, la respuesta de Joyes es contundente, sin ahorrar el punto de ironía:

> "¿Por qué, pues, hemos de poner nuestra gloria en ser celebradas de los hombres por nuestras prendas exteriores; y que esta mal fundada ambición causa tan constante rivalidad entre nosotras, que el que se precia de político, si alaba á alguna en presencia de otras, tiene cuidado de decir *mejorando lo presente*?" (182).

Joyes no se queda en el diagnóstico sino que apunta también las muchas consecuencias que trae aparejada dicha situación, entre ellas, la lamentable imposibilidad del cultivo de la amistad femenina debido a la competencia creada entre las mujeres. Deplorable actitud cuando, a juicio de Joyes, "el natural de las mugeres es más propenso á ella que el de los hombres" (188). Otra consecuencia no menos importante es de signo económico: la necesidad femenina de exhibirse acaba arruinando a las casas más ilustres. Joyes habla en este sentido del "luxo excesivo que consume los caudales más crecidos" (182).

Se trata de una de las cuestiones más debatidas del siglo. Ya Jovellanos en su Sátira I A Arnesto de 1786 había escrito los célebres versos: "[...] cuesta un sombrerillo/lo que antes un estado, y se consume/en un festín la dote de una infanta".

La de Joyes es a partir de aquí la apuesta ilustrada por excelencia: la educación como vehículo de cambio para un vivir más auténtico, más honesto y libre, más igualitario, más racional. Una defensa que tiene su base en la igualdad de almas, es decir, de entendimiento de las mujeres respecto de los hombres: "Digan los hombres lo que quieran, las almas son iguales" (180) sentencia Joyes. Otra cosa es la biología, que diferencia inevitablemente los sexos, aunque de ahí no debe inferirse ninguna jerarquía. Reconoce Joyes la mayor fuerza física del hombre, pero lo interesante de su razonamiento no es sólo que no derive de ella mayor talento sino que la relacione con algunos de los más importantes vicios sociales: "Quando los robos, los asesinatos, la embriaguez, el juego que arruina las familias, la disolución, el atrevimiento, el desprecio de las leyes, y otros delitos semejantes se encuentran alguna vez en las mugeres, causan grande horror, por ser tan agenos de su natural" (181).

Llegados a este punto, hay que recordar que la defensa de la igualdad de entendimiento encuentra en Joyes los mismos escollos que en otras mujeres y algunos hombres, entre ellos el mismo Feijóo. La religión sigue ejerciendo su dictado al respecto. "Dexo á los doctos la disputa de qual pecó mas, qual pecó menos" (178), dice Joyes refiriéndose al mito bíblico del origen. Joyes no responsabiliza, pues, a Eva del desastre y ni siquiera se detiene por extenso en el mito, pero la religión está presente en su discurso como legitimadora de un orden de cosas que no puede vulnerarse. Salvadas algunas excepciones que brinda la propia historia, el reparto de papeles se presenta como inevitable: "Fuimos criadas para el noble destino de madres respetables de familia, y esposas que con la afabilidad del trato ayudasen á sus consortes á llevar la pesada carga de los cuidados de esta vida" (181). Tal función es designio divino que debe cumplirse. ¿Lo creía verdaderamente Joyes?, ¿o Amar? Los personajes de Nehayah o Pehuah en la novela de Johnson no parece que deseen cumplir ese destino. Desde luego, lo que estas autoras no podían hacer en sus textos era plantear ninguna revolución. Quizás ya eran bastante estas palabras que Joyes dedica a continuación a las solteras: "¿Qué precisión hay en que se casen?" —pregunta—, y a continuación añade: "Viven infinitos hombres [...] largos años solteros, diciendo que no quieren perder su libertad" (192-193).

La palabra "libertad" lleva a Joyes a detenerse en otro de los temas del siglo: la elección del matrimonio. Si el hombre puede escoger, lo mismo la mujer, entiende Joyes. Es más, ante ciertos hombres dechados de imperfecciones, se pregunta: "¿No será mucho mejor quedar solteras, que exponerse á entregar su libertad á quien les repugne?" (194). Negación, pues, la de Joyes a que las mujeres se entreguen a cualquier "tirano que hasta sus pensamientos quiere gobernar" (194). La mala elección, añade, siempre afectará además mucho más a la mujer que al hombre: "No se me puede negar que la muger que dio con mal marido tiene más que sufrir que el hombre con muger pésima, pues no está obligado á parar en casa quando no le agrada, sino á las horas precisas" (194). Obsérvese cómo el espacio doméstico no es idílico en sí mismo, puede constituir una cárcel que imposibilite la elección, la recompensa o el alivio, como ya había advertido Amar. La mala elección no sólo es motivo de tristeza para la mujer, acaba siendo perjudicial para la propia sociedad en tanto deviene "una de las principales causas de la perversidad de costumbres" (195). Lo que importa a Joyes en este sentido es la utilidad del matrimonio.

Uno de los problemas del matrimonio forzado es que, entre otras cosas, los hijos perderán el respeto a los padres viéndoles en discordia, convirtiéndose en unos maleducados. Los mismos padres se desinteresarán de sus hijos, entregándoles a cualquier maestro o aya. Aquí hay que recordar que, para Joyes, como para toda la pedagogía de la época, el tiempo de la infancia es fundamental, "es el que se ha de aprovechar para poner en aquellos tiernos corazones los cimientos de todas las virtudes" (198), empezando por la enseñanza religiosa, capaz de transmitir la verdad, la fidelidad, la docilidad y la aplicación.

La cuestión de la primera infancia permite a Joyes abordar el polémico tema de la lactancia, como había hecho también Amar sin salirse apenas de la norma. Joyes responde aquí a "los modernos Escritores de crianza física" (201), sosteniendo que es justo que se alimente a los niños con la leche materna pero es injusto que se trate de "malas madres á todas las que no lo hacen. Muchas hay cuya constitución delicada no las permite tolerar los trabajos de tal empeño, y yo he conocido algunas á quienes costó la vida" (200). En este caso, añade Joyes, "¿cómo me probarán que siempre ha de ser mejor al niño la leche de su madre?" y, añade entre paréntesis, "y muchas lo empiezan á ser luego que se casan, por culpa de los Señores míos" (200-201). Repite Joyes a continuación la fábula del hombre y el león utilizada por Feijóo en su *Defensa de las mujeres,* quien la tomó a su vez de los *Diálogos sobre la pintura* (1633) del pintor español de origen italiano Vicenzo Carducci. Como son los hombres los que escriben de esta cuestión, lo hacen de acuerdo a su conveniencia, así, reconoce Joyes, "ninguno he visto que toque la inhumanidad de los hombres que habiendo vivido una vida desenfrenadamente viciosa pasan sin escrúpulo á contraer matrimonio con una sencilla paloma, cuyo semblante á muy pocas semanas manifiesta la impiedad del que la ha contaminado y de resultas á todos sus descendientes" (201). El asunto es claro para Joyes: las amas son necesarias en muchos casos. Y da por supuesto que las madres las buscarán sanas y de buenas propiedades.

Un último tema introduce Joyes en su "Apología": el de la necesaria educación de las madres si se quiere, como todos defienden, que éstas eduquen a su vez a los hijos. Sin dar nombres, Joyes recuerda a Reverendos "de bonete y capilla", a "pretendidos filósofos y á doctos", que ridiculizan a la bachillera considerando que a la mujer le basta coser, rezar y llevar la casa: "Falta la paciencia para oír desatino tan garrafal" (202), lamenta Joyes. Y añade, tal como había hecho Amar: "¿Todos los hombres á quienes diariamente oímos discurrir sobre asuntos políticos, Historia, Artes, etc., han estado en colegios, ó seguido estudios?" (202). Y aquí ofrece Joyes el argumento central de su "Apología": "Los hombres en general las quieren ignorantes porque solo así mantienen la superioridad que se figuran tener" (203). El final de la "Apología" es un claro alegato a favor de las mujeres, una apelación a que se responsabilicen de sí mismas, a que ganen su propio respeto. Para ellas mismas y para todos aquellos hombres sensatos. Las últimas líneas del texto, rubrican con vehemencia tales ideas:

> "Oíd mugeres, les diría, no os apoquéis: vuestras almas son iguales á las del sexo que os quiere tiranizar: usad de las luces que el Criador os dio: á vosotras, si queréis, se podrá deber la reforma de las costumbres [...]: respetaos á vosotras mismas y os respetarán: amaos unas á otras: conoced que vuestro verdadero mérito no consiste solo en una cara bonita [...], y que los hombres luego que ven que os desvanecéis con sus alabanzas os tienen ya por suyas: manifestadles que sois amantes de vuestro sexo,

> que podéis pasar las horas unas con otras en varias ocupaciones y conversaciones sin echarlos de menos; y entonces huirán de vosotras los pisaverdes, y los hombres frívolos [...]; pero los sensatos [...] se hallarán bien en vuestra compañía, os respetarán, os estimarán".

Los temas de Joyes, como los de Amar, son los mismos que trataron con frecuencia médicos, religiosos, filósofos o moralistas. Ella, no obstante, como Amar, añade matices que reducen el grado de responsabilidad de las mujeres respecto de los males o vicios de la sociedad. No olvidan que las mujeres viven en un mundo que precisamente no ha sido creado por ellas. Dentro de unos límites que ninguna ilustrada española osó derribar, el discurso de Joyes es a veces más arriesgado, otras más conservador. Como el de Amar. No obstante, hay que decir que ambas se adentraron en un terreno que, en principio, quedaba vedado para cualquier mujer: el del discurso ensayístico para el que se presuponían conocimientos, documentación, capacidad de análisis y abstracción, el espacio por excelencia de la crítica y el razonamiento.

VI
ROSA GÁLVEZ: EL REFORMISMO EN EL TEATRO

Destacando por encima de todas las demás dramaturgas que a finales de siglo suman sus nombres a los habituales del mundo del teatro, logrando ver impresas y representadas sus obras, se encuentra Rosa Gálvez, otra de las mujeres del XVIII que mejor se conoce en la actualidad gracias a la reciente y meritoria labor de Julia Bordiga Grinstein, quien ha dibujado tanto el perfil de la vida de esta autora como analizado la totalidad de su obra. Antes de detenernos en Gálvez, hay que dejar constancia de otras dramaturgas de este período. Como en el caso de la novela, existe un número importante de traductoras que se sumaron al impulso iniciado por la política cultural del reinado de Carlos III, entre ellas, Magdalena Fernández y Figuero, María de Gasca y Medrano, Engracia Estefanía de Olavide o Margarita Hickey. De entre las autoras de obras originales, merece citarse a María Antonia de Blancas, Mariana Cabañas, Gertrudis Conrado, Isabel María Morón o Joaquina Comella Beyermón. Algunas están aún vinculadas a ciertos modos dramáticos provenientes de los siglos de oro, barroquizantes, fantasiosos, inverosímiles, llenos de lances y peripecias, sin respeto a las unidades y al decoro predicado por el neoclasicismo. En realidad éstas eran las obras que más entusiasmaban al público para escándalo de los ilustrados, que veían en ellas una anarquía estética y moral inadmisible desde la perspectiva de su propio pensamiento reformista. Hubo otras autoras, no obstante, que además de atreverse a coger la pluma, quisieron participar y contribuir a dicho reformismo desde la vieja máxima horaciana del "deleitar enseñando", que fue la de los ilustrados. Entre ellas, María del Carmen Lanzarote y María Martínez Abello. También María Rita de Barrenechea, condesa del Carpio, retratada por Goya y muy amiga de la Gálvez. Igualmente María Lorenza de los Ríos, marquesa de Fuerte-Híjar, por cuyo salón, como se dijo, pasaron numerosos personajes del mundo del teatro y en el que probablemente se representasen las dos comedias que se le atribuyen. Un caso a destacar es el de la ya mencionada María Laborda, de quien sólo se conserva una comedia en prosa en cinco actos, *La dama misterio, capitán marino*, que no parece que se representara ni se imprimiera. La obra es una defensa de la igualdad de la mujer, lo mismo que el texto introductorio, que es toda una declaración de principios al respecto: "El alma produce las ideas sin distinción de sexos" (Serrano y Sanz:III:2). Véase por lo que respecta a todas estas dramaturgas el trabajo de Bordiga (2002).

Queda dicho que Rosa Gálvez (Málaga 1768/69-Madrid 1806) sobresale muy por encima de las anteriores dramaturgas; es una de las personalidades femeninas de fin de siglo más perspicaces, inteligentes y fecundas; una verdadera mujer nueva, aún con las limitaciones propias de su época. Hija adoptiva del acomodado matrimonio formado por Antonio Gálvez y María Ana Ramírez de Velasco, respiró el ambiente de los influyentes militares y políticos de la rama paterna, cuyas empresas y comercios se desarrollaron en la Corte y en ultramar, en especial en los años del reinado de Carlos III. La variedad temática de la extensa obra de Rosa Gálvez bien puede ser un reflejo de ese ambiente. Siempre desde un espíritu crítico, Gálvez demuestra en sus obras que le interesa el mundo entero y no sólo el pequeño mundo de la domesticidad que la historia había reservado a su sexo. Así, se suma a la critica de la superficialidad en la nueva sociedad de consumo, responde al poder de un cristianismo vacuo y retórico, denuncia el esclavismo, revisa la historia y sus mitos y, en especial, muestra una sensibilidad especial con el tema de la mujer. Sus personajes femeninos son víctimas de un sistema que les oprime pero también mujeres fuertes capaces de enfrentarse a los agravios y sinsabores de la vida. Muchas de sus obras llevan por título el nombre de sus heroínas.

Gálvez está lejos de ser una mujer apocada o resignada y así lo demostrará en los dos frentes abiertos en su vida: el personal y el profesional. A la complicada situación para la época de ser hija adoptiva, hay que sumar una tormentosa relación matrimonial desde 1789 con José Cabrera y Ramírez, capitán de milicias y más tarde Agregado en la Legación de España en los EEUU, donde es responsable de un escándalo económico mayúsculo, de entre otros tantos que salpicaron su vida y, desgraciadamente, también la de su mujer, que vería dilapidada su propia herencia. Contribuyó a esos escándalos el carácter ludópata de Cabrera, que Rosa Gálvez proyectaría después en algunos de sus personajes de ficción. Rosa Gálvez acabó separándose de su marido, ignorándole incluso en el testamento. A Madrid llega Gálvez a principios de siglo, desengañada, sin dinero y esperando salvarse gracias a la literatura. No se equivocó en la apuesta aunque el camino no fue fácil. Gálvez empieza trasladando piezas del francés al castellano consiguiendo que se representen (son para Julia Bordiga las tres que siguen: *Catalina o la bella labradora*, *La intriga epistolar* y *Bion*). En poco tiempo empieza también a escribir sus tragedias y comedias originales y a ver alguna de ellas representadas, cosa que destacaría a principios del XX Narciso Díaz de Escovar:

"Resultó ser la primera mujer que en España se lanzó al teatro, con un arsenal de comedias, tragedias, zarzuelas, monólogos y operetas, pues las anteriores como la Enríquez de Guzmán, la Caro Mallén, la misma Sor Juana Inés de la Cruz, escribieron por escribir, más que por representar, huyeron de los corrales como de casa apestada y sus obras más fueron, y son, para leídas que para representadas. La Gálvez no opinó así, y dignas sucesoras de ella han sido la Avellaneda, la Acuña, la Vera, la Sáenz de Melgar, la Antón, la Casas y tantas otras" (Bordiga: 2003: 76).

No sólo se representó a la Gálvez, también se imprimieron la mayoría de sus obras dramáticas y sus poesías. En 1804 todas ellas verían la luz en la Imprenta Real con el título *Obras poéticas*. Aparte quedarán algunas obras escritas con posterioridad como las comedias *La familia a la moda* o *Las esclavas amazonas*, o *Ali-Bek* que se había publicado en 1801 en la colección *Teatro Nuevo Español*.

Que el camino emprendido por Gálvez fue arduo y complejo, lo demuestran muchos de los documentos que se conservan, entre ellos cartas dirigidas al propio monarca, de los que se infiere su lucha por que le costeen la impresión de sus obras o por que éstas se salven de censuras, a su juicio, parciales y gratuitas. El 28 de mayo de 1801 con motivo de *Un loco hace ciento*, quejándose al Gobernador del Consejo de la "parcialidad" del juicio del Tribunal eclesiástico de la Vicaría, considera Gálvez que "el mejor medio de manifestar si es o no fundada la reprobación de la insinuada comedia, es que ésta sea vista y reconocida por otros sujetos que hagan de ella una censura escrupulosa, pero imparcial" (Serrano y Sanz: II: 454). Quedó citada más arriba una petición similar. No fueron las dos únicas. Vencedora de todas estas batallas, los recursos de Gálvez no fueron sus encantos femeninos como se ha dicho en ocasiones, sino su tenacidad y su conciencia de que luchaba por una causa justa. Ese es también el carácter que aflora en las "Advertencias" que antepuso a sus obras, donde la necesaria modestia femenina no sofoca el orgullo de una mujer que sabe es merecedora de reconocimiento. Como botón de muestra, léanse estas palabras de la "Advertencia" al tomo II de sus *Obras poéticas*, donde Gálvez defiende sus tragedias:

> "[...] puedo llamar mías estas composiciones con harto más fundamento que los traductores [...] Atrevimiento es en mi sexo, y en estas desgraciadas circunstancias de nuestro teatro, ofrecer á la pública censura una colección de tragedias; pero espero que se me disculpe por el buen deseo que me estimula á promover ó excitar los ingenios españoles, para que despreciando, como es justo, la mordacidad de los miserables, que les hacen tan indecente guerra, publiquen sus obras dramáticas. En las mías faltará mucho para la perfección; pero el sexo, y las continuas ocupaciones, y no vulgares penas que acompañan mi situación, no me han permitido limarlas con más escrupulosidad; ni yo creo que por haberlo hecho adelantaría mucho, puesto que tal cual sea su mérito, es más bien debido á la naturaleza que al arte, con que no me ha sido muy fácil adornarla. Ni ambiciono una gloria extraordinaria, ni puedo resolverme á creer tanta injusticia en mis compatriotas, que dexen de tolerar los defectos que haya en mis composiciones con la prudencia que juzgo merece mi sexo. Si me engaña esta esperanza, estoy bien segura de que la posteridad no dexará acaso de dar algún lugar en su memoria á este libro, y con esto al

menos quedarán en parte premiadas las tareas de su autora" (1804: 5-7).

Vamos a centrarnos a continuación en la producción dramática de Gálvez aunque no debe olvidarse su faceta propiamente poética, por la que obtuvo no pocos elogios. De su obra dramática hay que distinguir las comedias y las tragedias, las dos fórmulas del teatro neoclásico impulsado por los ilustrados con la finalidad de corregir y reformar ciertas costumbres contemporáneas. La comedia quería ser una escuela para las clases medias, quería educar a esos colectivos aplebeyados, afrancesados, petimetres, eruditos a la violeta, escritorzuelos pedantes, padres y madres indolentes, hijos e hijas desvergonzados, ignorantes de los deberes y responsabilidades sociales. Quería proponer modelos de conducta. Espejo realista en el que vicios y virtudes se vieran representados, con verosimilitud, con decoro, con propiedad para evitar dispersiones que distraigan de las tesis. Así el teatro de Leandro Fernández de Moratín o de Tomás de Iriarte. Así también el de Rosa Gálvez, autora de *Un loco hace ciento* (1801), *Figurones literarios* (1804), *El egoísta* (1804), y de dos obras más, representadas en 1805 pero que la autora no pudo ver impresas, *Esclavas amazonas* y *La familia a la moda.* No obstante, hay que advertir que a los temas habituales de la comedia, Gálvez añade siempre su perspectiva femenina logrando de ese modo que sus obras participen de una diferencia de género. Gálvez arriesga más que otras autoras pero también es cierto que la igualdad de sexos que defiende encuentra sus límites, como en Amar o Joyes, en el propio reformismo que predica, el cual no transgredió jamás ningún orden social establecido.

Nos detenemos ahora en tres obras de Gálvez representativas de algunos de los géneros dramáticos que cultivó. En primer término, *La familia a la moda*, una comedia neoclásica que cuenta en la actualidad con la excelente edición de René Andioc. La obra retrata la frivolidad y desparpajo de los miembros de una familia, abocados así a una ruina moral y económica que, por extensión, puede acabar afectando a esa otra familia mayor que es el propio Estado: se mencionan en la obra los gastos de modistos, cocheros, profesores de baile y canto, los inexcusables viajes a Francia, el lujo de los interiores del ámbito doméstico, incluso entra en escena un perrito que come chocolate. Gálvez ofrece un cuadro veraz y ridiculizador de esos personajes que subvierten sin piedad toda jerarquía, donde criados holgazanes hablan desvergonzadamente a sus señores, o hijos insolentes se dirigen con descaro a sus padres. No falta la figura del cortejo, al que se ve adentrarse en el tocador de la señora para ayudarla a vestirse. Se trata de una magnificencia inútil que sólo puede conducir a la indigencia. Como en toda obra neoclásica, hay aquí también un personaje representante de las luces de la razón entre tanta locura. Lo novedoso es que ese personaje es en la obra de Gálvez una mujer, Doña Guiomar, hermana del padre de la citada familia, a la que quiere dejar su herencia aunque antes pretende asegurarse de no obrar erróneamente. Su sorpresa será mayúscula cuando descubra el despilfarro y la ruindad de sus parientes. Manga por hombro, la propia acción de la obra se retrasa al inicio debido a que los señores de la casa están durmiendo hasta bien entrada la mañana.

La cuestión del testamento aparece en la obra asociada a otros dos temas que preocuparon a los ilustrados: la necedad de la reclusión forzosa de las mujeres en el convento, que resta productividad a un país que la necesita con urgencia, y la defensa de matrimonios acordados racionalmente. Para dejar su herencia a la familia, Doña Guiomar impone, así, que se saque a la hija, doña Inés, del convento en el que está recluida por mandato de la madre, que no quiere competencias femeninas. Impone asimismo doña Guiomar que se la case con el hijo del acreedor de la familia. De nuevo aquí la libertad individual se detiene en el terreno de la utilidad social. Como dirá doña Guiomar, utilizando la expresión popular, "la oveja con su pareja" (II, 10, v. 496). En este caso se trata de favorecer la alianza de la nobleza, a la que doña Guiomar pertenece, con la nueva burguesía, dueña del dinero. Doña Inés no tiene en ningún momento voz ni voto en la resolución final. Gálvez no arriesga demasiado en este aspecto: tutelada en especial por un padre que acabará practicando la virtud, sigue siendo producto de intercambio —materialista— entre familias pero no sujeto activo de su elección.

Finalmente, la razón se impone y queda pactada la boda racional de doña Inés. Hay que destacar que si a lo largo de la obra ha sido doña Guiomar la protagonista, la resolución final del conflicto ya no va a depender de ella sino del padre de familia al que se acaba redimiendo. Su reflexión final pone todo en su sitio. Dirigiéndose a su esposa, exclama: "Pues yo, que estoy aburrido/de sufrirte, y afrentado,/ si a la orden lugar has dado,/obraré como marido:/me ataré bien los calzones,/ a mi hija casaré/y el contrato firmaré/no obstante que tú te opones" (III, 11, vv. 724-735). El padre ha recobrado las luces perdidas, lo que no puede dejar de premiarse: doña Guiomar cede la herencia a la familia que, de ese modo, queda virtuosamente salvada. Obsérvese cómo moralidad y economía son indisociables, y cómo el artífice de la resolución no es ya el personaje femenino sino la figura paterna. Como siempre, se trata de que cada uno ocupe el lugar que le toca en beneficio propio y de los demás.

Gálvez cultivó también la tragedia neoclásica, un género centrado ahora en personajes de elevada alcurnia en los que la nobleza vería recordados sus propios deberes. Gálvez fue autora de numerosas tragedias, más o menos ajustadas a historias reales como mandaba la preceptiva: *Ali-Bek*, *Florinda*, *Blanca de Rossi*, *Amnón* y *La delirante*. A ellas hay que añadir la escena trágica unipersonal de *Saúl* y los dramas trágicos *Zinda* y *Safo*. Como ha estudiado Bordiga, la particularidad de estas obras, como también de las comedias, es el tratamiento que confiere la autora a sus personajes femeninos, alejados de los estereotipos de las obras escritas por hombres y a los que Gálvez da voz para que puedan expresar su propio sentir, el cual en numerosas ocasiones es el de una mujer agredida, real o potencialmente, por el mundo de hombres en que vive. Teniendo en cuenta que las tragedias de Gálvez se desarrollan en tiempos y espacios muy distintos (el Egipto del XVIII, el Africa negra del XVII, la Inglaterra de Isabel I, la ciudad de Bassano en tiempos de las Cruzadas, la España de la Reconquista, la isla de Lesbos en época de Safo o los tiempos y espacios del texto bíblico) puede concluirse que Gálvez subraya "la universalidad de la violación y la denigración de lo femenino" (Bordiga:2003:93). Mujeres enfrentadas a sentencias vergonzosas como la que escucha Blanca de Rossi de boca del conquistador de Bassano: "Entre la fuerza y el amor elige/como tu corazón has de entregarme" (IV, 4, vv. 109-110). Mujeres solas a las que todos abandonan, incluso sus propias madres como le ocurre a Florinda, a quien su progenitora dirige en su lecho de muerte las siguientes palabras recordadas luego por la protagonista: "[Sea] tu nombre abominado de las gentes,/mísera, ¡oh nunca yo te concibiera/para que me cubrieses de ignominia,/para que de tu padre la nobleza/por tu venganza manchen las traiciones!" (I, 6, vv. 417-421). Florinda está lejos de ser en esta obra la causa de la pérdida de España como transmitió la leyenda de la Cava, según la cual fue la violación por don Rodrigo de la hija del conde don Julián, gobernador de Ceuta en el siglo VII, el motivo de que éste permitiera la entrada de los árabes en la Península. A esta leyenda se referiría, por cierto, el padre Feijóo saliendo en defensa de la figura femenina: "El conde don Julián fue quien trajo los moros a España, sin que su hija se lo persuadiese, quien no hizo más que manifestar al padre su afrenta. ¡Desgraciadas mujeres, si en el caso de que un insolente las atropelle, han de ser privadas del alivio de desahogarse con el padre, o con el esposo! Eso quisieran los agresores de semejantes temeridades. Si alguna vez se sigue una venganza injusta, será la culpa, no de la inocente ofendida, sino del que la ejecuta con el acero, y del que dio ocasión con el insulto; y así entre los hombres queda todo el delito" (18).

Vamos a centrarnos en una de esas tragedias, en ese "drama trágico" como lo llama la autora y al que tituló *Zinda*. La obra es un ejemplo de las inquietudes de Gálvez, cuyas reflexiones se extienden en este caso a cuestiones de política internacional, en concreto a un fenómeno que preocupa a numerosos economistas, filósofos o moralistas: el esclavismo y el colonialismo. Hay que recordar el creciente malestar por la práctica del esclavismo que va asentándose entre los núcleos ilustrados del XVIII a la luz de su propia defensa de la libertad humana. El *Contrato social* de Rousseau dejaba clara la inhumanidad de tal práctica y su incompatibilidad con cualquier derecho. Otra cosa será la práctica del colonialismo, que es precisamente donde el discurso ilustrado, como en otros ámbitos, encuentra sus propios límites. Casi nadie defenderá en el siglo XVIII la abolición de las colonias (aunque algunos empiezan a pensar en su poca rentabilidad económica) sino la humanización y civilización de tal empresa en nombre de la igualdad natural de los nativos frente a los habitantes de la metrópoli. Importa destacar que la cuestión del colonialismo es paralela a la de las

Sobre la esclavitud de las mujeres. Carta de Sab a Teresa de Gertrudis Gómez de Avellaneda, en *Sab* (1841)

Muchas veces, Teresa, he meditado en la soledad de los campos y en el silencio de la noche, en esta gran palabra: ¡la virtud! Pero la virtud es para mí como la providencia: una necesidad desconocida, un poder misterioso que concibo pero que no conozco. Entre los hombres la he buscado en vano. He visto siempre que el fuerte oprimía al débil, que el sabio engañaba al ignorante, y que el rico despreciaba al pobre. No he podido encontrar entre los hombres la gran armonía que Dios ha establecido en la naturaleza [...]

Es ella, es Carlota, con su anillo nupcial y su corona de virgen... ¡pero la sigue una tropa escuálida y odiosa!... Son el desengaño, el tedio, el arrepentimiento... y más atrás ese monstruo de voz sepulcral y cabeza de hierro... ¡lo irremediable! ¡Oh!, ¡las mujeres! ¡Pobres y ciegas víctimas! Como los esclavos, ellas arrastran pacientemente su cadena y bajan la cabeza bajo el yugo de las leyes humanas. Sin otra guía que su corazón ignorante y crédulo eligen un dueño para toda la vida. El esclavo, al menos, puede cambiar de amo, puede esperar que juntando oro comprará algún día su libertad: pero la mujer, cuando levanta sus manos enflaquecidas y su frente ultrajada, para pedir libertad, oye al monstruo de voz sepulcral que le grita: "En la tumba". ¿No oís una voz, Teresa? Es la de los fuertes que dice a los débiles: "Obediencia, humildad, resignación... esta es la virtud". ¡Oh!, yo te compadezco, Carlota, yo te compadezco aunque tú gozas y yo expiro, aunque tú te adormeces en los brazos del placer y yo en los de la muerte.

(Gertrudis Gómez de Avellaneda: 265-266, 271)

mujeres: también muchos ilustrados defenderán la igualdad de los sexos pero relegándola al terreno de la naturaleza, nunca al ámbito de lo social. Así, pues, tanto para la mujer como para el colonizado (¿no está acaso la mujer colonizada o, directamente, esclavizada como sostendrá en el XIX el personaje de *Sab* en la novela de Gertrudis Gómez de Avellaneda?) queda señalado su lugar en esa jerarquía que nunca se salta la Ilustración.

Dos conceptos clave en el XVIII quedan enfrentados en esta obra de Gálvez: civilización y barbarie. El primero queda asimilado al espacio europeo de las luces, aquí ilustradamente cristiano, representado en la obra por su auténtico protagonista, el comandante del fuerte portugués en el África negra, Pereyra. La barbarie se aplica a las propias comunidades negras de la zona, representadas como una especie de fuerza irracional de la naturaleza que necesita ser domada, controlada. Colonizada. Desde sus luces blancas, Pereyra iluminará, pues, la negritud de esos hombres africanos a los que considera como hijos propios, los cuales, a su vez, aceptarán gustosos esa tutela. Este es el caso, en especial, de los propios reyes del Congo, Zinda y Nelzir. Es, sobre todo, la reina la que hace explícitas las enseñanzas de Pereyra y se las recuerda a su pueblo: "Pereyra me ha enseñado a ser piadosa;/cuando llegó su nave a estas comarcas/por primera vez, en nuestro suelo/reinaban las costumbres sanguinarias/de la ferocidad pero vosotros/al mirar sus virtudes, la tirana/fiereza depusisteis, y yo misma/imité la clemencia que enseñaba" (I, 2, vv. 57-64). Es éste el parlamento de una negra que, sin embargo, ha dejado de serlo. Zinda es, en el fondo, una negra de alma blanca, con lo que se demuestra que África es aún en el XVII o en el XVIII, en realidad, una imagen de Europa. Lo mismo le ocurre a Sab en la novela de la Avellaneda. *Zinda* está lejos de cuestionar la política colonialista. Lo que sí cuestiona, no obstante, es el esclavismo, erigiéndose de ese modo en una de las obras que con mayor contundencia denunció tal práctica. Como dirá la reina Zinda: "Aunque el tirano/nos mande aprisionar, jamás su intento/logrará esclavizarnos" (II, 8, vv. 854-855). Y, en verdad, el núcleo del conflicto que se plantea en la obra tiene que ver con la lucha entre dos modos de entender la empresa colonial. El de Pereyra es un colonialismo racional y moral, que persigue la bondad y la virtud. Frente a Pereyra se sitúa el holandés Vínter, que quiere usurpar por la fuerza el legítimo derecho del primero sobre las tierras del Congo, y que representa un colonialismo irracional y egoísta que busca la propia codicia. Un colonialismo esclavista.

Si *Zinda* es una obra que interesa por sus tesis políticas, también merece destacarse el reto de la autora en la construcción del difícil personaje de Zinda, para el que Gálvez cuenta con un referente histórico: la reina que gobernó sobre el río Kwango el reino de Matamba, fundado alrededor de 1630 como resistencia contra los portugueses, y que luchó contra el esclavismo pero también contra el colonialismo aunque tuviese finalmente que consentir éste último. Gálvez pinta a su heroína como una mujer fuerte, guerrera, estratega, representante de su pueblo, aunque se destaque también su condición de buena madre y buena esposa. "El llanto de la queja/no derramó jamás una africana" (I, 3, vv.191-192). "El universo/tiemble al furor atroz de una africana" (I, 4, vv.283-284). "Hay en mi pecho/odio, ferocidad, furor, constancia" (II, 8, vv. 858-859), son algunas de sus declaraciones. Se trata de una *masculinización* a través de la cual, paradójicamente, el personaje adquiere un *status* de igualdad respecto del hombre. El problema es que a medida que la historia avance, esa masculinización irá mermando hasta quedar anulada. Es cierto que Zinda es más protagonista que su esposo, el propio rey pero, pese a ello y pese a darle título a la obra, es menos protagonista que el blanco Pereyra. De hecho, Zinda acaba siendo en esta obra personaje mediador entre Pereyra y su pueblo. Gálvez puede situarla, desde la perspectiva de género, por encima de su marido, pero debe mantenerla en posición de inferioridad desde la perspectiva de la raza a la que pertenece. Ya hemos dicho que Zinda es, en el fondo, una blanca. La representación de otros pueblos en el siglo XVIII se encontró también con los límites impuestos por la propia razón ilustrada.

Por último, merece también hablarse de otra de las tragedias de Gálvez, ese drama en un solo acto, *Safo*, en el que la autora recrea los últimos momentos de la conocida poeta griega: su suicidio arrojándose al mar. Gálvez adapta la historia a sus propios intereses, como habían hecho otros autores del XVIII quienes, entre otras cosas, convirtieron en heterosexual a la poeta de Lesbos. Lo que a Gálvez le interesa ahora es, como explica Bordiga, mostrar "los peligros y desilusiones a que se halla expuesta una mujer que no controla sus pasiones" (2003: 82), en este caso el desespero de no poder convivir con Faón, el hombre que se casó con otra pese a amar a Safo sinceramente. Recordemos que Josefa Amar advertía a las mujeres de la lectura de novelas que, a su juicio, alimentaba la imaginación y confundía en los negocios del amor, en los que las mujeres perdían siempre más que los hombres. Esta será también la insistente tesis de una poeta como Margarita Hickey. También Gálvez pinta a una mujer víctima de un amor desbordado, arrebatado, pasional, de signo, se diría, romántico. A romanticismo suenan también los largos monólogos de la obra. Asimismo, el escenario en que tiene lugar la acción: la isla de Leucadia, en la que se levanta una roca desde la cual los amantes desgraciados comenten sacrificios atroces y horrendos pensando, equivocadamente, que en el profundo abismo de las aguas se encuentra el olvido. Ahora bien, no hay que ignorar que *Safo* sigue siendo igualmente una obra ilustrada, no sólo por respetar las normas de la preceptiva neoclásica sino por contener algunas de las tesis que integran el ideario reformista del siglo, en especial, la crítica a una autoridad paterna despótica e irracional que, significativamente, es la que ha llevado a los amantes a la desesperación. En este sentido y a nuestro parecer, más que criticar la pasión, Gálvez está denunciando el abuso de poder que impide el libre ejercicio de aquélla.

Por lo que respecta a la propia caracterización del personaje, hay que destacar que los gritos de Safo no se erigen sólo contra aquella injusticia cósmica de los románticos sino contra una injusticia más concreta que tiene que ver con su condición de mujer. De ahí la pintura verbal del contraste entre su vida anterior y posterior al conocimiento del amor. Se insiste en la obra en que Safo fue una poeta que mereció aplausos y premios de todo el pueblo, mujer por la que suspiraron millares de hombres. Ella misma refiere lo que sacrificó por amor:

> "Por él abandoné mi patria y nombre;/por él sufrí de mi envidioso sexo/la más atroz calumnia; por su causa/de los hijos de Apolo el rendimiento/altiva desprecié; y en fin, llevando/mi constante fineza hasta el extremo,/preferí ser su amante a ser su esposa,/que amor de libres corazones dueño/huye un lazo que impone obligaciones [...] ¡Cuán dulcemente en sus amantes brazos/los elogios que Grecia a mis talentos/dedicaba olvidé, sacrificando/hasta mi vanidad a sus deseos" (vv. 331-350).

Más adelante recuerda también cómo "... mi dolor acerbo/me hizo humillar hasta sus pies mi frente" (vv. 412-413).

Arrepentida de esa entrega, lanza sus advertencias a las mujeres: "Vosotras que miráis en mí el ejemplo/de la negra perfidia de los hombres/ abominad su amor, aborrecedlos;/pagad sus rendimientos con engaños,/pagad su infame orgullo con desprecios;/giman a vuestros pies; vengadme todas;/humillad para siempre esos soberbios" (vv. 532-538). Es Aristipo, segundo sacerdote de Apolo, quien, apelando al pasado de Safo, le insta a recuperar todo lo perdido: "... ¿Qué, tu genio/imitador olvidará la gloria/de la futura edad, y el lisonjero/acento de la fama?" (vv. 454-457). Todo es en vano. Safo no espera ya gozar con nada, sólo desea morir, morir para olvidar.

Lo que destaca, no obstante, en la obra es la introducción de un personaje que, en gran parte, es el responsable de la desgracia de los enamorados: el padre de Faón, Cricias, primer sacerdote de Apolo. Es ese padre quien ha alejado a Faón de Safo por considerar a ésta un peligro para la reputación y carrera de su hijo. Gálvez pinta a Cricias como un déspota que engaña, oculta y que en ningún momento apela a una razón conciliadora, como demuestran estas palabras que le dirige a Aristipo: "[...] que baste la obediencia:/yo por mi dignidad soy el supremo/sacerdote de Apolo, y en su nombre/que calles y obedezcas hoy te ordeno" (vv. 221-226). Cambiemos sólo "sacerdote" por "monarca" o por "padre" y recordemos la idea kantiana fundamental en el pensamiento político de la Ilustración: *Caesar no est supra Grammaticos*: el Poder no puede estar nunca por encima de la Razón.

Gálvez castiga ese despotismo al final del drama en el momento en que Faón reniega de su propio padre al descubrir que Safo acaba de arrojarse al mar: "Vos no sois mi padre;/sois un hombre cruel, cuyo secreto/a su rencor sacrificó esta vida./Por vos, manchado de un engaño horrendo,/he sido infiel, traidor, abominable:/ve aquí el fruto fatal de los consejos,/de los mandatos vuestros, que me obligan/a ser testigo de mi oprobio eterno" (vv. 601-608). "Yo soy un monstruo" (v. 594) reconoce Faón al descubrir lo ocurrido e implora a Safo, que todavía puede oírle: "Recibe de Faón antes que mueras/el llanto que a tus pies derrama" (vv. 611-612). Los amantes se reconcilian pero ya es tarde. Sólo queda el último parlamento de la obra puesto en boca de Safo: "... Es... supersticioso engaño.../ buscar aquí el olvido... pues yo muero.../adorando a Faón... y hasta el sepulcro.../ ¡Su imagen y mi amor conmigo llevo!" (vv.615-618). No hay olvido, ni siquiera en la muerte. No hay descanso, ni siquiera en la otra vida. Esta obra es de las más arriesgadas de Gálvez desde el momento en que la autora salva por su inocencia a los dos amantes. No hay condena para ellos ni en vida ni tampoco en la muerte. Obsérvese cómo Gálvez no condena el suicidio de su personaje, sólo le hace descubrir que el tormento de la vida permanece en el más allá. Tampoco ha condenado el amor entre los amantes. Su efecto destructor no proviene de ese amor en sí mismo sino de la intervención de un autoritarismo antilustrado.

Como ha podido observarse, Gálvez trata en su obra temas de diversa índole a los que siempre imprime su particular mirada femenina. En este aspecto es una de las escritoras más interesantes del XVIII, que estuvo abierta a las inquietudes del mundo, entre las cuales figuraban muy en especial para ella las relativas a la mujer. Gálvez contribuyó a la dramaturgia ilustrada como ninguna otra. Eso sí, como en otros casos, su atrevimiento se detenía en ese espacio que al mismo tiempo lo posibilitaba: la propia razón. Esa razón instrumental con la que no se pretende subvertir jerarquía alguna sino conseguir un estado de razonable bienestar colectivo.

VII
MARGARITA HICKEY: LA MILITANCIA POÉTICA

En su segunda mitad, el siglo XVIII ve nacer un elenco importante de mujeres poetas que anuncia lo que será en el XIX la eclosión de poesía femenina representada, entre otras, por Carolina Coronado, Gertrudis Gómez de Avellaneda o, por encima de todas, Rosalía de Castro. Más que el ensayo, la novela o el drama, es la poesía la que precisamente se acaba configurando en el XIX como el género más apropiado al *bello sexo*, en especial en el romanticismo, donde la exaltación de la sensibilidad favorecerá el lirismo femenino siempre y cuando, no obstante, la escritora respete el abanico temático que le es propio, es decir, el relacionado con el mundo de la domesticidad. El afán de absoluto o el deseo de poder, el tormento, el desasosiego, el heroísmo y la tragicidad de los personajes románticos quedan desterrados de la retórica femenina, que sólo podrá ser vehículo de sentimientos tiernos, cándidos, familiares. Otra cuestión serán las estrategias discursivas de numerosas escritoras para decir lo que quieran aparentando decir algo distinto. Respecto de la lírica femenina del setecientos, que con nombres propios o pseudónimos apareció en los diarios y periódicos de la época o editada en volumen independiente, queda todavía mucho por estudiar. De algunas poetas queda constancia pero no presencia porque destruyeron o mandaron destruir sus propios textos (es el caso de María Francisca de Isla y Losada, hermana del padre José Francisco de Isla, autor en 1758 y 1770 de la *Historia del famoso predicador Fray Gerundio de Campazas, alias Zotes*). No todas presentan una calidad literaria destacable pero algunas sí merecerían formar parte de una historia literaria, entre ellas la autora que aquí nos ocupa, Margarita Hickey —que firmará en ocasiones como *Antonia Hernanda de la Oliva* o *Una dama de esta corte*— y, junto a ella, la misma Rosa Gálvez o María Gertrudis de Hore.

La poesía de Gálvez, igual que su teatro, es canal de unas inquietudes netamente ilustradas. Sus versos reflejan acontecimientos históricos, sentimientos patrióticos, reconocimiento del mérito social de ciertos personajes de la época, ideas sobre la propia poesía o las expectativas de la autora como poeta. Se trata de versos que sirven al pensamiento, de ahí la fluidez, la naturalidad, la desnudez de esta poesía que deliberadamente quiere ser discursiva, expositiva. Si la temática amorosa es secundaria para la Gálvez, en Gertrudis Hore adquiere mayor protagonismo. Hore (Cádiz 1742-1801) fue conocida como la *Hija del Sol* y objeto de una leyenda que recrearía más tarde Fernán Caballero, aún no esclarecida, con motivo de las relaciones que mantuvo con un joven militar estando casada, lo que le llevó en 1780 a profesar en las Descalzas de la Purísima Concepción de Cádiz. Sus anacreónticas, endechas, odas, sonetos serán cauce de reflexiones filosóficas y también de un sentimiento amoroso en el que se aúnan placer y sufrimiento, y que con el tiempo se transformará en vivencia religiosa dando lugar a una poesía de lo divino.

Contra la poesía amorosa
"Anacreóntica" (1795) de María Gertrudis Hore

¿Hasta cuándo, Gerarda,
Tu peregrino intento,
En frívolos asuntos
Malgastarás conceptos?
¿Hasta cuándo has de darles
Infelice tormento
A tus locas pasiones
Con amorosos versos?
Esas luces tan claras
Que te concedió el cielo,
No le causen enojos,
Sí tribútenle inciensos.
Yo también, algún día,
Templaba el instrumento
Creyéndole sonoro
Cuanto más descompuesto.
Yo también invocaba
Al que llaman Dios ciego,
E hice ¡rara locura!
Me prohijara Febo.
Yo lloré ingratitudes,
Yo celebraba afectos,
Empleando en delirios
La dulzura del metro.
Pero ya arrepentida
De tan frívolo empleo,
Sólo a dignos asuntos
Dedicarle pretendo.
Tú, amada compañera,
Sigue también mi ejemplo,
No aguardes que algún día
Lo exija el escarmiento.
Emprenda, emprenda mucho,
Elévese tu ingenio,
Remóntese tu numen,
No aletee rastrero.
No tejas más laureles
A ese contrario sexo,
Que sólo en nuestra ruina
Fabrica sus trofeos

(Manuel Serrano y Sanz: II: 529)

Como es lógico, la producción de las poetas del XVIII participa en conjunto de las mismas variedades de la lírica dieciochesca, en la que destaca el estilo rococó (esa estética menuda de lo intranscendente y lo lúdico con rasgos aún barroquizantes), el neoclásico (que apuesta por una belleza de líneas limpias y depuradas, sumando a ello muchas veces la idea de utilidad), o ese romanticismo que asoma ya —algún crítico ha propuesto hablar en este caso de "neoclasicismo sentimental" más que propiamente de "romanticismo"—, que con el tiempo convertirá al yo en una especie de casa encantada en la que se integra el mundo entero. Se trata de tendencias que, en rigor, no siguen un orden cronológico, prueba de ello es que en el último tercio del siglo se ven confluir y convivir en un mismo autor. Aparte quedará toda la herencia barroca (representada, entre otras, por Teresa Guerra, Catalina Maldonado y Ormaza o María Egual y Miguel), al igual que cierta poesía practicada aún por monjas en los conventos, de quienes queda por precisar su sensibilidad religiosa y la relación que guarda ésta con la de sus más célebres antecesoras del XVI y XVII, entre ellas Teresa de Jesús o Juana Inés de la Cruz.

De Margarita Hickey se sabe que fue hija del irlandés Domingo Hickey (teniente coronel de Dragones) y de la italiana Ana Pellizzoni (de familia del mundo del espectáculo, conocida en los teatros madrileños). Julia Bordiga data la fecha de su nacimiento en Mallorca sobre 1740. Contrajo matrimonio con Juan Antonio de Aguirre, que sobresalió en la carrera de las armas y más tarde se convertiría en ujier de saleta del infante don Luis, y luego en su Guardarropa. En 1779 Margarita está viuda y no vuelve a casarse. En 1801 escribe su testamento donde dice que tuvo un hijo con su marido pero que tras fallecer aquél, adoptaron una hija, María Teresa, a la que pusieron sus apellidos y a la que Hickey nombra ahora heredera universal, "no obstante —advierte— de los sentimientos que me ha ocasionado, poca subordinación que conmigo ha tenido, y otros motivos que en mí reservo" (Sullivan:1997). Como en otros casos, la vida de Hickey está aún por estudiar. Lo que sí se sabe es que Hickey pertenecía al círculo de Agustín Montiano y Luyando, escritor de gusto barroco y conceptista que evoluciona más tarde hacia una estética neoclásica —con la *Poética* (1737) de Ignacio de Luzán como modelo— como demuestran los prólogos que escribe a sus tragedias *Virginia* (1750) y *Ataúlfo* (1753), las primeras manifestaciones de dicha estética en el campo del teatro, género por el que se recuerda hoy a Montiano, más que por el cultivo de la poesía. En la madrileña Academia del Buen Gusto (1749-1751), cuyas reuniones, como se dijo anteriormente, se celebraban en el palacio de la marquesa de Sarria, Montiano acogió muy favorablemente la única traducción publicada de Hickey, *Andrómaca*, de Racine.

Fue asimismo en este círculo donde Hickey con probabilidad entabló relación con Vicente García de la Huerta, uno de los dramaturgos más sobresalientes del XVIII, en especial por la exitosa tragedia titulada *Raquel*, representada en 1775, y autor también de una obra poética que le convierte en reformador de la lírica dieciochesca, la cual quiere reflejarse en los modelos renacentistas del XVI (destacando en el caso español muy en especial los representados por Garcilaso de la Vega y Fray Luis de León), en la poesía petrarquista y, más atrás en el tiempo, en los clásicos latinos. La deuda de Huerta, no obstante, todavía con la lírica barroca matiza ese carácter reformador y lo disminuye. Hickey fue íntima amiga de Huerta como demuestra la correspondencia cruzada entre ambos mientras éste se encontraba en París en 1766, ya separado de su mujer, Gertrudis Carrera y Larrea, y enfrentado a todo el poder real de la Península, en especial al conde de Aranda y más tarde al duque de Alba, su antiguo protector. Huerta había sido acusado con motivo del motín de Esquilache sucedido en la primavera de ese mismo año, lo que finalmente le valdría el destierro en Orán. Juan Antonio Ríos Carratalá sostiene que las cartas interceptadas entre Hickey y García de la Huerta "revelan un alto grado de compromiso de la autora con un personaje perseguido por las autoridades" (424). Hickey le informa, en efecto, de las detenciones y persecuciones en España, le advierte, le aconseja, en fin, le apoya sin recelos, lo que no sabemos con exactitud qué consecuencias pudo tener para ella. Carratalá se pregunta por qué Hickey asumió ese riesgo. Y responde: "Creemos merecer el derecho a la imaginación" (427).

Más allá de las cuestiones personales, importa ahora que esa relación entre Hickey y Huerta tuvo su eco en la propia obra de Hickey, tal como ha estudiado, en especial, Philip Deacon. En el único tomo de sus obras que llegó a publicar Hickey dos años después de la muerte de Huerta, en 1789 —la fecha es histórica—, aparecen ocho sonetos: cuatro son de un Caballero que los remite a una Dama, la cual responde a su vez con otros cuatro. Se trata de un juego literario basado en el diálogo o el debate que había tenido una de sus más felices materizalizaciones en la poesía trovadoresca —aunque poesía dialogada se encuentre también en autores antiguos como Virgilio—, a través de formas como, entre otras, la *tensó*, el *partimen* o el *tornejament.* En este caso, el juego presenta el atractivo añadido de que, a juicio de Deacon, el susodicho Caballero no sería otro que el mismo Huerta, en cuya obra poética destacan por encima de las demás composiciones, desde el punto de vista de la calidad literaria, precisamente las de temática amorosa. En qué consistió la relación de Hickey con Huerta en la realidad es algo que todavía se nos escapa. Lo que sí quedan son esos sonetos y alguna otra poesía, tanto de Hickey como de Huerta, que podrían remitir a esa relación. Queda, pues, la obra, más allá de las sombras biográficas que la envuelven.

Queda dicho que en 1789 publica Hickey el primer tomo de sus obras con el título *Poesías varias sagradas, morales y profanas ó amorosas con dos Poemas épicos en elogio del Capitán General D. Pedro Cevallos*, volumen que incluye la traducción de *Andrómaca* de Racine, más o menos fiel a la versión original, desde luego mucho más que otras que ya habían aparecido con anterioridad debidas a otros autores. La misma Hickey declara en el "Prólogo" a ese primer tomo que sería "avilantez atreverme a querer emendar, corregir y mudar obra de un Autor tan justamente alabado y celebrado como Racine" (VI), lo que no es óbice para que en otras traducciones sí enmiende lo que quiera. Un segundo tomo preparado no vio la luz. En él aparecerían las traducciones de *Zaïre* (1733) y *Alzire* (1736) de Voltaire. De ese modo, Hickey se suma a los numerosos traductores de tragedias de la segunda mitad del XVIII, que respondieron no tanto al gusto del público sino a la política ilustrada preocupada por la escasez en la literatura española de un género destinado a un público selecto. Aparecieron entonces, entre otras, traducciones de Racine, Corneille, Voltaire, Arnault, Ducis, De Belloy, Raynouard, que en sus versiones españolas dejaron en muchos casos de ser tragedias para convertirse en obras populares que eran las que triunfaban en los escenarios. Puede llamar la atención la traducción de Voltaire, un autor prohibido en España a partir de 1762, y más en la pluma de una mujer. Pese a esa prohibición, ocurre no obstante que, como han concluido diversos estudiosos, sus obras lograron difundirse, traducirse y algunas incluso representarse. También es cierto que a veces ocultándose el propio nombre del autor francés. Por otro lado, como se dijo al hablar de Joyes, no era práctica extraña la nacionalización de las obras, es decir, su adaptación a determinadas necesidades de signo ideológico, político o religioso, lo que a veces podía a su vez responder a la urgencia de evitar posibles censuras. Sea como sea, la realidad es que casi todas las tragedias de Voltaire fueron traducidas en España, obteniendo un especial éxito *Zaïre*. La traducción de esta última por Hickey es, según Francisco Lafarga, la más antigua y una de las más alejadas del original, en especial en lo relativo a la cuestión religiosa. Hickey dejaría claro que sin culto al verdadero Dios no puede haber virtud. Respecto de la traducción de *Alzire*, se sabe que pasó la censura pese a que la obra original, ambientada en el Perú de la conquista española, no presenta ideas muy ortodoxas (Lafarga: 123), lo que permite concluir que, con probabilidad, Hickey no fue fiel al original.

Los dos campos en los que destaca, pues, Margarita Hickey son la traducción y la poesía. También escribió en 1790, aunque sin conseguir publicarlo, un ensayo en verso con el desmesurado título *Descripción geográfica e histórica del orbe*.

Como en todas las escritoras que se han visto en este libro, Hickey es consciente de su responsabilidad como escritora y como mujer. En el "Prólogo" al volumen de sus obras considera el teatro "escuela pública á la que una gran parte de gente va á aprender, á pensar y á proceder" (IX). Y más adelante sostiene: "Una composición dramática no es otra cosa que un poema moral" (XIII). Al mismo tiempo, consciente de su condición de mujer, en el "Prólogo" al extenso poema (55 octavas reales) sobre el Capitán General Pedro Ceballos, fallecido en 1778, habla de la oportunidad de dirigirse a esos sujetos "llenos de preocupación contra obras de mugeres, en las que nunca quieren éstos hallar mérito alguno, aunque esté en ellas rebosando" (140). A continuación enumera ella misma los posibles defectos de su poema adelantándose así a posibles críticas y, a renglón seguido, declara:

> "Que yo me contento con que no puedan con razón tacharme de impropiedad de estilo, baxeza de expresión y de pensamientos, que son los defectos capitales y esenciales que deben procurarse evitar en tales composiciones; los que, á Dios gracias, no me cuesta gran trabajo, ni cuidado huir porque naturalmente me lleva mi genio a cosas altas y nobles, y á expresarlas noblemente" (141-142).

Hickey termina exponiendo la finalidad, o una de las finalidades, de su escritura: ofrece este volumen, sostiene con firme pulso, "en obsequio sólo del bello sexo en general, y en desagravio ó vindicación de la injusticia que el vulgo hace á éste en la opinión que de él comúnmente tiene" (146). Hickey no elude, pues, responsabilidades ni como escritora ni como mujer. Se sabe partícipe de un momento literario en el que el deleite debe dar la mano a la utilidad, lo que incluye también la restitución de la dignidad intelectual de las mujeres. Tal convencida militancia no evita sin embargo, como se ha visto en otros casos, la retórica de la humildad y la modestia. Así, en el "Prólogo" citado al poema sobre Pedro Ceballos, considera que no ha podido hacer debida memoria al personaje, "dexando el desempeño de esta empresa á las plumas varoniles, que son á las que principalmente corresponde, y no á las mugeriles y débiles como la mía" (138). Solicita a continuación benevolencia:

> "Recíbaseme mi buena voluntad en cuenta de mi poca habilidad y suficiencia, y hagan otros más, que yo con el buen fin y deseo de que los que pueden y saben hagan mucho, he hecho este poco, que es á lo que alcanzan mis fuerzas: y quien hace lo que puede, y da lo que tiene, ya se sabe que no está obligado á más, ni se le puede más pedir" (139).

El mismo tono es el del "Prólogo" a la edición del primer volumen de sus obras:

> "Presento al público algunas Poesías Líricas, en cuya composición he divertido á veces mi genio y ociosidad, ó falta de ocupaciones y de diversiones adaptadas á mi gusto: no he pretendido herir á nadie en ellas, y solamente la variedad de casos y de sucesos que me ha hecho ver, conocer y presenciar el trato y comunicación del mundo y de las gentes, han dado motivo y ocasión á los diferentes asuntos y especies que en ellas se tocan" (XIV).

La época obliga, y el orgullo de ser mujer letrada arrogándose una responsabilidad social no puede exhibirse sin pagar el precio de disminuir ese orgullo con la convencional retórica. Tras estas primeras declaraciones, se encuentra el conjunto de poemas que Hickey ha escrito, algunos de los cuales siguen integrando declaraciones poéticas con las que Hickey justifica su escritura. Un breve inciso: no debe olvidarse que la lírica amorosa gozaba de mucho menor prestigio en las preceptivas de la época que otras composiciones dedicadas a asuntos más "graves" y, en consecuencia, más "útiles". Es probable que en Hickey se una, pues, la necesidad de justificarse como escritora pero también como escritora de lírica amorosa. En el primer sentido, no falta en Hickey el antiguo argumento medieval del que continuarían echando mano las románticas medio siglo más tarde: es Dios mismo quien ilumina a la autora quien, pese a su ignorancia o debilidad, no puede ni debe soslayar esa llamada. Es Dios, pues, el que transmite el poder de la palabra. Así lo sostiene la pastora Pascuala en unos *Villancicos que encargaron hiciese la Autora para la víspera de Navidad*, donde dice: "Y siendo muger me meto/en hablar loca y sin tino/ en las cosas que no entiendo,/(pues el Señor Infinito/quando le aplace y le agrada,/á quien quiere hace sabidos)". Más allá del contexto religioso del poema, importa destacar la perspicacia de Hickey al introducir un argumento que siempre había sido rebatible con dificultad.

Hickey demuestra soltura y facilidad para la versificación. Escribe romances, octavas, endechas, sonetos, seguidillas, redondillas, décimas, villancicos, etc., en un estilo directo de reminiscencias clásicas —mitología incluida— que quiere servir a las ideas que expone. Poesía que suele dirigirse la mayoría de casos a un interlocutor, al que el yo hablante advierte, aconseja, exhorta cuando es femenino, o bien denuncia, amonesta o ridiculiza si es masculino. El grueso de esas poesías, que tienen mucho de casuística amorosa al estilo de las novelas pastoriles renacentistas, apunta a un único objeto: salvar a las mujeres de la tiranía de los hombres. Éste es el *docere* de los versos. Hickey respeta en este sentido la preceptiva. La tesis es clara, Hickey no la disfraza en ningún momento, más bien todo lo contrario: sus versos están llenos de adjetivos descalificadores para con el *sexo fuerte*, en una especie de contramisoginia en ocasiones violenta —"malo", "débil", "despreciable", "botarate", "aborrecible", "detestable", son algunos de esos adjetivos. Nazcan o no esos versos de experiencias personales, lo que debe importar es el lugar desde el que Hickey escribe y que no es otro que el de un tenaz enfrentamiento con el sexo opuesto. Así, en un *Romance Dedicado á las Damas de Madrid, y generalmente a todas las del mundo*, escribe Hickey "con el buen fin y deseo/de que al verlas, al mirarlas,/precabiendoos advertidas,/ en otras escarmentadas,/contra enemigos tan fieros/sepais defenderos cautas".

Un poderoso núcleo temático en las poesías de Hickey lo configurará, pues, la enumeración de los defectos masculinos. Entre ellos destaca muy especial la constante inconstancia, uno de los vicios que desde siempre la tradición amorosa ha imputado a las mujeres. Debe decirse que la tradición sobre la que Hickey escribe es la que cimentó gran parte de la propia lírica dieciochesca a la que ya nos hemos referido: con los clásicos antiguos como referencia inexcusable, la tradición de Hickey es la de la lírica renacentista tanto española como italiana, la cual bebe, a su vez, de la poesía petrarquista y, más atrás, de la poesía trovadoresca. Como en el caso de García de la Huerta, tampoco Góngora está ausente de sus versos. Tradición en la que la mujer ha sido el objeto de deseo amoroso por excelencia. Mientras no existan estudios exhaustivos sobre la poesía de Hickey resulta difícil establecer la fuente concreta que ésta utiliza dada la extensión temporal de dicha tradición, pero lo que sí puede observarse es la originalidad que Hickey confiere a sus versos: las voces femeninas que hablan en ellos invierten en muchos casos los *tópicos* de esa tradición, de tal manera que los defectos atribuidos a las mujeres pasan a ser ahora defectos masculinos, entre ellos la mencionada constante inconstancia. No hay que olvidar, no obstante, la evidente deuda de Hickey para con la tradición pastoril y bucólica que dio algunos de sus mejores frutos en el Renacimiento con autores como Gil Vicente, Jorge de Montemayor o Gaspar Gil Polo. Curiosamente es en esa tradición en la que aparecen más voces femeninas discrepantes con la imagen convencional construida para las mujeres. De esa tradición arrancará igualmente el célebre discurso de la pastora Marcela en la primera parte de *El Quijote*, toda una defensa de la libertad femenina. El carácter ciertamente utópico de la novela pastoril o de géneros de transfondo bucólico posibilitó con probabilidad esas transgresiones, entre las que no fue desde luego la menor aquella escena de homosexualidad femenina de *La Diana* (1559?) de Montemayor que a Meléndez Pelayo le parecería después "extravagante" y "monstruosa". Por cierto, una de las novelas más apreciadas en los círculos de las primeras *salonnières* del XVII fue la célebre *L'Astrée* (1607-1628) de Honoré d'Urfé, novela pastoril inspirada en *La Diana* del autor español.

Atendiendo ya a los propios versos de Hickey, sufre la mencionada inconstancia, entre otras muchas, la Fili del primer poema —una *Novela Pastoril puesta en verso en este Romance, en agudos*—, la cual en principio vive "gustosa con su eleccion", arraigada la pasión en el alma, rehuyendo pretendientes y esperando el regreso de su amado. Nueva Penélope fiel que no ve recompensado el haber guardado la ausencia, ya que Silvio volvió pero "altanero", "arrogante", "desapacible", "feroz", en conclusión, "trocado". Si el recuerdo de la esposa homérica se impone en este poema, en otro la referencia al propio Ulises es explícita. Se trata del *Romance Al desengaño de un amante, que no amando ya a su amada como antes la había amado, quería fingir el mismo amor que antes la había te-*

nido, y seguir en el empeño de obsequiarla, donde se lee: "Que imitas al Griego sólo/en traiciones y cautelas,/en engaños, en falacias,/y en las mentidas finezas,/con que á Circe y á Calipso correspondió con fe griega". En unas *Redondillas Que pidieron á la Autora en cierta Tertulia para sacar Damas y Galanes la víspera de año nuevo*, reflexionando sobre los hombres, escribe también Hickey a uno de ellos llamado Silvio: "Te ha de perder tu importuna/inconstancia en el querer,/quien de todas quiere ser/jamás será de ninguna". La inconstancia puede ser real o verbal ya que también se encuentran en el poemario unas *Endechas Respondiendo una amada á las satisfacciones que su amante quería darla de haberla nombrado por equivocación con el nombre de otra Dama, (a quien antes había querido), estando en conversación con ella.* De todas estas situaciones nace la recomendación de la autora a las mujeres en conjunto, que podría resumirse con los versos de un poema *Imitando á uno de los de Góngora*: "Zagala no guardes fe,/que los hombres comúnmente/no la saben merecer".

No se trata sólo de la inconstancia. Hickey sólo ve en los hombres innumerables defectos. Léase una definición moral del hombre en el soneto que sigue:

> "Es el hombre, entre todos los vivientes,
> El que mayor malignidad alcanza,
> Excediendo en fiereza y en venganza,
> A los Tigres, Leones y Serpientes:
>
> Son sus torpes deseos más impacientes:
> De él la simulación y la mudanza,
> La traición, el engaño, la asechanza,
> Que no se halla en las fieras más rugientes:

De él la loca ambición con que quisiera
Vejar y avasallar á sus antojos
Todos sus semejantes, si pudiera:

Este es el hombre: mira sin enojos,
Si es que puedes, mortal, tanta quimera,
Y para tu gobierno abre los ojos".

"Tigres", "leones" y "serpientes" habían sido precisamente en la tradición animales fieros que en muchos casos remitían o se asociaban a la misma amada, quien en ocasiones podía ser peor que todos ellos. Así, por ejemplo, en Jorge de Montemayor, quien inicia una *Canción* dirigida a la "dura Philis" con los siguientes versos: "¿Qué tigre, qué león o qué serpiente,/qué ánimo de fiera endurecida,/mi mala compasión no movería?/¿Qué hombre, qué animal, qué estraña gente/no moverá un dolor tan sin medida,/que mil pedaços haze el alma mía?". Hickey invierte otra vez las imágenes para aplicarlas a los hombres y concluir que "de cualquier suerte,/ es molesto su trato" como sostiene en unas *Seguidillas En que una Dama dá las razones porque no gustaba, ó no le habían gustado los hombres en general.* A todos se les sufre, a los sabiondos y a los ignorantes, a los exquisitos de alta estirpe o a los zafios de baja estofa, "pues el más estirado/al fin es hombre". La parte central de las citadas *Seguidillas* recoge la acusación más importante que Hickey lanza al otro sexo:

"Pues que pretenden
en amor diferencias
que no se deben.
Que para eso son hombres,
dicen muy necios,
como si acaso el alma

tuviera sexo;
locura rara,
pretender distinciones
el que se iguala".

En ocasiones, el descargo de Hickey se proyecta directamente en ese dios niño, inconsciente, travieso y tirano, sobre todo engañoso, que es Cupido. Recurre Hickey en este caso al tradicional tópico *latet anguis in herba*: el áspid escondido entre la hierba, el engaño en el halago, la desdicha en la felicidad. La mentira en la aparente verdad. Se trata de una imagen que está en la *Eneida* de Virgilio, en las *Metamorfosis* de Ovidio y que perdura a lo largo de los siglos pero que, como otras, adquiere ahora en Hickey significados distintos. Entre otras cosas, la identificación tradicional entre la sierpe y la mujer desaparece en su poesía, y el peligro del animal aparece asociado al mundo masculino. Así, en un *Romance De una amada que habiendo empezado á favorecer a su amante, se arrepiente de su piedad y quiere retroceder de su fineza por las razones que expresa*: "A pesar de tus esmeros,/á cada paso imagino,/que he de encontrar con el áspid,/entre las flores que piso". Hickey insiste en unas *Endechas Aconsejando á una joven hermosura no entre en la carrera del amor*: "No te engañe el terreno/porque lo ves florido,/que en esas mismas flores/está el mayor peligro". Se repite la imagen en unas *Endechas endecasilábicas A la mudanza no esperada de un amante en una corta ausencia*:

"A Dios, y en paz te queda,
que yo vuelvo á mi antiguo
venturoso sistema
y acertado principio,
De huir las asechanzas

de ese ciego dios niño,
de ese engañoso alhago,
de ese tirano echizo,
De esa sierpe entre flores,
martyrio apetecido,
veneno disfrazado,
y encanto de potencia y sentidos".

Las imágenes antitéticas con que Hickey define el amor tienen igualmente una larga tradición, lo mismo que la imaginería en torno a la "llama", el "volcán", el "fuego" o directamente el "incendio" que aparecen a menudo en sus versos y que en este caso pueden encontrar en el *Canzoniere* petrarquista una de sus más influyentes referencias. En otros momentos, las imágenes amorosas de Hickey se construyen a partir de elementos peligrosos o abismales del mundo natural que, de nuevo, Hickey toma de un legado antiguo. Así define el amor en las *Endechas* citadas, *Aconsejando á una joven hermosura no entre en la carrera del amor*, como "despeñadero", "precipicio", como espacio con "peñas", "riscos", "escollos", como un "mar proceloso" lleno de "tormentas", "borrascas" o "naufragios", por el que se navega "sin fe, sin norte fijo,/sin socorros humanos,/sin auxilios divinos".

No son, pues, nuevas las imágenes de Hickey. Sí es novedoso, y debe insistirse en ello, el modo en que las lee y las proyecta en las voces, en especial femeninas, de su poesía. La mujer debe evitar para Hickey el placentero sufrir, el doloroso gozar con que los poetas han definido el amor, y debe hacerlo porque sólo la puede conducir a un verdadero infierno. Nada positivo encuentra Hickey para la mujer en ese amor. Tampoco Amar, Joyes o Gálvez. En los negocios amorosos todas ellas conocen a quienes más tienen que perder: las mismas mujeres.

"¿Por qué nos imponéis la ley del deshonor cuando, con vuestros ardides, nos habéis enamorado y seducido?" preguntará una de las tantas mujeres anónimas de la Revolución Francesa (Duhet:35). El daño irreparable que en muchas mujeres puede causar una frívola y villana seducción masculina seguirá constituyendo objeto de interés en muchas escritoras, entre ellas Rosalía de Castro, la poeta de las mujeres solas, abandonadas y tristes, a veces viudas en vida, a veces madres desamparadas, a veces locas soñando con primaveras eternas. La mujer es la que paga el precio más alto en el amor. Véase la siguiente *Décima* de Hickey *Definiendo la infeliz constitución de las mugeres en general*:

> "De bienes destituida,
> Víctimas del pundonor,
> Censuradas con amor,
> Y sin él desatendidas:
> Sin cariño pretendidas,
> Por apetito buscadas,
> Conseguidas ultrajadas,
> Sin aplausos la virtud,
> Sin lauros la juventud,
> Y en la vegez despreciadas".

El victimismo se une en Hickey a una llamada a la resistencia, a la sensatez, a la conciencia y a la razón. No todo es negativo en esta poeta. Por encima del amor descrito, existe un amor verdadero que es al que debe aspirarse: como buena mujer de su siglo, Hickey defiende un amor fundamentado en el conocimiento. Desde esta perspectiva resulta ilustrativo un *Romance* escrito *A un vicioso y abandonado, que se alababa de no haber amado en su vida, y decía ser incapaz de amar*. Hickey expone ahora los rasgos que deben definir al auténtico amante y, así, habla de un entendimiento "verdadero, claro, exacto", lleno de "buenos principios", de un alma "racional en su complejo", de un ánimo "generoso" y de un corazón "dispuesto" y "organizado". En resumen, se trata de una aplicación de "lo verdadero" al juicio y de "lo bueno" a la voluntad. Si a ello se une "lo bello" —que aparece más adelante en el poema—, nos encontramos con esa tríada platónica que todavía conforma el horizonte del pensamiento ilustrado. Más adelante, el Romanticismo constatará de modo trágico la imposibilidad de la utopía, la definitiva caída del hombre como un ángel al que ya no le sirven las alas. El optimismo ilustrado se fundamenta por el contrario en la creencia de que la Razón es verdadera, buena y bella y puede crear, en consecuencia, un mundo feliz. El Amor, identificado platónicamente con esa Razón, es garantía de felicidad. "Desdichado el himeneo/que sin ti enciende su llama,/y dichoso el que contigo/la tea nupcial abrasa" escribe también Hickey en el *Romance* situado a continuación del anterior, dedicado a *Elogios y Encomios al amor verdadero, decente, lícito y honesto*. El amor del que habla Hickey en el referido *Romance A un vicioso y abandonado...* pertenece a ese mundo feliz, del que está excluido el que ella misma denomina "torpe", "despreciable" y "grosero" "apetito", propio del hombre "ordinario" y "plebeyo" sometido al dictado de la mera materia. Es ese apetito el que, al entender de Hickey, iguala al hombre a las fieras del bosque, humillándole en sus posibilidades de elección y de raciocinio. La de Hickey es, en este sentido, una defensa de la libertad humana, que queda asociada a la figura del "Criador divino". Es este último el que ha regalado al hombre —y hay que entender también en Hickey, a la mujer— la capacidad de autodominio para emplearse en debidos objetos y ejercer la verdadera libertad. Se trata de un amor que puede llegar a transcender lo humano, como se constata en el *Romance* sobre *Elogios y Encomios...*, en el que Hickey escribe los siguientes versos:

> "Tú, de todas las pasiones
> la sola eres que no acabas
> con la vida, y que trasciendes
> á la eterna con el alma,
> Para amar constantemente,
> para adorar cara á cara
> con la vista intuitiva,
> á la causa de las causas".

No está ausente la religión de los versos de Hickey en más de un sentido. Unas *Endechas Dedicadas á una Monja Profesa, que solicitaba la dispensación de sus votos para casarse, con el pretesto de haber sido forzada para tomar el velo*, se construyen a partir de la confrontación entre el ámbito religioso y el ámbito profano. Ya se ha dicho con anterioridad que el XVIII empieza a ser un siglo laico, pese a que en España, entre otros países, religión e Ilustración vayan de la mano. Recordemos a Josefa Amar que, aún encontrando perfecto para la mujer el estado religioso, recelaba de las auténticas vocaciones, lo que Rosa Gálvez encarna con claridad en el personaje de doña Inés de *La familia a la moda*. Por lo que respecta a Inés Joyes, no parece concederle a esta cuestión especial importancia. Desde esta perspectiva, llama la atención el poema de Hickey, en el que el convento se convierte en espacio de libertad femenina, como lo había sido en los siglos anteriores. De todos modos, puede también recordarse a numerosas mujeres del siglo XVIII —también a algunos hombres— que acabaron sus vidas entre los muros conventuales, es decir, que todavía en la vida real el recinto sagrado seguía siendo, ya no un destino, pero sí un refugio final.

Respecto del poema citado de Hickey, parecería en principio un canto contra la vanidad y los sinsabores del mundo. Hickey habla de un "valle triste", de una "mansión del llanto", de un campo de "malezas", "simas" y "barrancos" donde todo camino es riesgo y todo paso peligro. No entiende, en consecuencia, que la mencionada monja quiera arrojarse a ese mundo, abandonando la paz y el sosiego de los claustros. Recuerda entonces Hickey a la "Seráfica Madre Teresa", dichosa tras el rapto misterioso que le hizo comprender la "miseria, cieno y asco" de la realidad mundana. No entiende Hickey, pues, que la monja quiera trocar o cambiar al verdadero Esposo ("fino enamorado") por un hombre cualquiera. Aquí es donde se encuentra de nuevo la conciencia de género de Hickey, ya que no es sólo éste un poema sobre la vanidad o sinsabores del mundo, es también un poema en el que dichas cuestiones están significadas en masculino. Hickey expone con claridad sus ideas: "que sólo Dios es grande,/es justo, es bueno, es sabio,/es generoso, es digno/de ser fielmente amado". Sólo Dios. No los hombres. La de Hickey es la defensa de una divinidad que, en una particular relectura del Génesis, creó a la mujer a partir de la nada:

> "Que sólo por hacerte
> dichosa, te ha sacado
> de la nada, y te ha hecho
> de él un vivo retrato,
> Para que un día puedas,
> á la sombra, al amparo
> de sus merecimientos,
> de su amor extremado,

Gozar las altas dichas,
los contentos colmados,
los gozos y deleytes
inefables y altos".

No hay, pues, figuras masculinas intermediarias en estos versos. La mujer ha sido creada por Dios directamente, como un "vivo retrato", a su imagen y semejanza. La única dependencia existente se produce con el Creador. De ahí la recomendación final de Hickey a la monja: "Evita de los hombres/el dominio tirano", con el que éstos quieren avasallar a la mujer que el cielo creó como "noble compañera" y no como "esclava". Queda dicho todo. De nuevo, una mujer relee el texto bíblico encontrando en él una legitimación de la libertad e igualdad que defiende.

Si a la monja le recomienda Hickey que permanezca en el convento, a la soltera que guarde su libertad, no entregándosela a quien, seguro, no la merece. Más grata es la vida, entiende Hickey, entre los libros que entre los hombres. En la *Endecha* ya citada, donde se aconseja a una joven no entrar en la carrera del amor, escribe Hickey: "A empresas más heroicas eleva tus sentidos". Y en el soneto primero en respuesta a otro enviado por un Caballero al que, como quedó dicho, puede identificarse con Vicente García de la Huerta, escribe la Dama los siguientes tercetos:

"Pues transformar (¡qué error!) quieres altivo,
en tu noble arrogancia sin segundo,
el genio que me dio naturaleza;
advierte que ese empeño es excesivo,
porque más que el imperio, sí, del mundo,
la libertad estima mi belleza".

Es una voz femenina que no quiere matar de amor, ni que Amor la mate a ella como había dicho también la pastora Melisea en *Diana enamorada* (1564) de Gil Polo. Quiere libertad, como la pastora cervantina en su célebre discurso, el cual, no por menos violento que algunos de Hickey, es menos firme: "Yo nací libre, y para poder vivir libre escogí la soledad de los campos. Los árboles destas montañas son mi compañía, las claras aguas destos arroyos mis espejos; con los árboles y con las aguas comunico mis pensamientos y hermosura" (142). Quizás ésta sea la aspiración de la voz femenina que habla en el *Romance* de Hickey *Expresando una amorosa desconfianza*, donde aparecen los siguientes versos que dan fe de una inquietud que se rechaza: "Que aunque quiero que me ames,/y gustoso el pecho te ama,/no sé que tiene, que anhela/su tranquilidad pasada". Recelo, sospecha, temor son los sentimientos de las voces femeninas que hablan del amor en la poesía de Hickey, algunas de las cuales deciden escoger, en consecuencia, bien la indiferencia, bien la entrega y dedicación a los libros. Así, en unas *Seguidillas* dedicadas *Al desengaño de una enamorada*, donde se muestra la ventaja, tras el doloroso olvido, de la soledad: "Amarilis ha visto/ya las ventajas,/que de renunciar firme/pasión tan cara,/y tan inquieta/inagotable origen/de ansias y penas". Lo mismo en una *Décima Aconsejando una Dama á otra amiga que no se case*:

"Guarda, deidad peregrina,
Entre tantas perfecciones,
Las gloriosas excepciones
Que te acreditan divina:
A nadie tu fe destina,
Conserva libre tu mano,
Huye del lazo inhumano,

Que el amante más rendido
Es, transformado en marido,
Un insufrible tirano".

Se trata asimismo de demostrar que la razón puede y debe vencer sobre el mero instinto de la seducción. Por eso solicita la mujer que habla en unas *Endechas endecasilábicas A la mudanza no esperada de un amante en una corta ausencia*, "Vuelva de mis afectos/el glorioso dominio,/con que siempre entre tantas/me he ostentado prodigio". Alejamiento, pues, de los hombres es lo que Hickey defiende a lo largo del poemario, de esos hombres representantes de un amor dominante, tirano y anárquico. Dicho esto, si la mujer no puede evitar caer en los brazos de un hombre, entonces Hickey también tiene un consejo: no chamuscarse entre las llamas del fuego, dejarse amar sin amar a ninguno y pasar el tiempo con gusto. Es lo que sostiene en un *Romance Satisfaciendo á la duda de una Dama, que no habiendo amado nunca, preguntaba si era verdad que en amar y ser amados hubiese las satisfacciones y contentos que comúnmente se creía.*

No todos son sólo consejos y advertencias a las mujeres. Hickey se dirige también a los hombres, a veces en un tono entre amenazante y divertido: les dice que no confíen en su superioridad innata, pues eso les hace descuidar su aprendizaje lo que, a su vez, puede llevarles a perder dicha superioridad dejándose ganar el terreno por las propias mujeres. En un extenso *Romance heroico endecasilábico* dirigido a Critilo, la autora pide a éste que se deje aconsejar por ella misma, aunque sea una mujer. El motivo es el que expone a continuación:

"Que el verdadero sabio donde quiera
que la verdad y la razón encuentre,

allí sabe tomarla, y la aprovecha,
sin nimio detenerse en quien la ofrece.
Porque ignorar no puede, si es que sabe,
que el alma, como espíritu, carece
de sexo, y por su puro ser y esencia,
de sus defectos consiguientemente
Y lo contrario, sólo de vulgares
cortos, limitadísimos y febles
entendimientos, puede ser dictamen,
de falso convencido muchas veces".

Para acabar vamos a volver al principio, puesto que Hickey sitúa al final de su poemario una especie de epílogo con el que se despide del ejercicio poético, y que deviene de nuevo una poética de primer orden y un compendio de lo que llevamos dicho en este capítulo. El extenso poema en que consiste ese epílogo lleva por título *Remitiendo a un conocido estas Poesías*. Dicho conocido es nombrado como Danteo y sobre él hace recaer Hickey la responsabilidad de haber publicado sus versos. Otra versión de la tradicional retórica del disimulo:

"Amigo Danteo,
por fin te remito
estas producciones
de los ocios míos:
Que por complacerte,
por seguir tu aviso,
y por darte gusto
tímida publico".

Advierte Hickey a continuación que todos los versos escritos han querido ser una defensa del auténtico amor, no el ovidiano, no el de apetitos "desreglados" como se decía en la época, sino aquél que habita más allá del cuerpo y la materia:

"Hallarás en ellas
documentos finos
de amar noblemente,
con afectos dignos:
No de amar un arte
como la de Ovidio,
que más que de amor,
es arte de vicio".

Vuelve a aparecer en pocos versos la justificación de la propia escritura, que puede considerarse en definitiva tema principal del poema. Comprende Hickey que se ha metido a hablar de cosas ajenas a su sexo, el cual está destinado a la rueca, al uso, a la aguja y al hilo pero no a la pluma. No obstante, en referencia a las petimetras u otras frívolas damas de la época, sostiene que su genio prefiere esta desviación "que hablar de las modas,/ trajes y vestidos,/ ni de los peynados/ adlante, ó erizo". Añade asimismo, para evitar ser acusada de bachillera, que ella no ha estudiado, no ha cursado aula alguna, no ha saludado el distrito de la docta Atenas y culto latino, y por eso sus poesías han corrido libres, tal como a ella le han salido. Un modo de señalar los supuestos vicios poéticos de sus versos antes de que se los señalen otros. No obstante, no quiere que Danteo enmiende ninguno de ellos. No parece en este sentido que Hickey esté insatisfecha con su obra:

"Encargarte no oso,

Danteo, el fastidio
de que los defectos,
los torpes descuidos
Que en mis poesías,
su esencia ó su estilo
hallares acaso,
enmiendes prolijo:
Déxalas que corran
conforme han salido
de mis flacas manos,
y débiles bríos,
Que si ellas lo valen,
sus defectos mismos
les darán realce,
sin más requisito".

Uno poco más adelante, la misma Hickey apunta con firmeza y por extenso que cree no haber cometido ningún delito, por ejemplo, ni contra el buen lenguaje, ni contra las leyes del buen castellano —la cuestión, en concreto, de los barbarismos y neologismos a que se referirá Hickey provocaba en los censores durísimas críticas—, lo que desdice su carácter de mujer lega al que se ha referido con anterioridad. Y lo que confirma que no está descontenta con lo que ha escrito. Humildad y orgullo siguen, pues, configurando un discurso que, en este sentido, es inequívocamente femenino y que se descubre también cuando Hickey advierte que no ha buscado la fama ni el aplauso sino el mero entretenimiento con la escritura de sus versos:

"Que yo en estas nobles
tareas, que elijo,

no busco alabanzas,
ni aplausos mendigo;
No afano intereses,
ni gloria codicio,
que por divertirme
solamente escribo".

Parece tratarse, sin embargo, de una diversión muy ilustrada puesto que no esconde tampoco Hickey en otros versos que ha escrito para probar que las mujeres son tan aptas como los hombres para dedicarse al mundo de las letras:

"que ya me despido
desde hoy para siempre
de rimas y ritmos:
Porque esto, Danteo,
solamente ha sido
querer hacer prueba,
por gusto ó capricho;
De si el delicado
sexo femenino,
á pesar de necios
y vulgares dichos,
Quando se le antoja
puede dulces himnos
cantar á la Lira
de Apolo divino:
Y habiendo tocado,
comprobado y visto
que si Delio influye,
qualquiera es lo mismo;
Y que si él no asiste

por más masculinos
que sean, arrogantes
y desvanecidos,
Jamás en la cumbre
del glorioso Pindo
lograrán mirarse
los más presumidos".

Poca modestia o timidez hay ya en la siguiente advertencia:

"Esta verdad cierta,
y estos desvaríos,
á todo pedante
le sirvan de aviso".

Finalmente, no pueden faltar en este epílogo los versos que resumen la idea que ha recorrido toda la poesía de Hickey y toda la obra de las escritoras que aquí se han tratado:

"Que el alma no es hombre
ni muger, y es fixo,
que en entrambos casos
su ser es el mismo"

CONCLUSIONES

Que la Ilustración tuvo sus luces pero también sus sombras es algo que ha venido denunciando la Modernidad hace dos siglos, gracias entre otras cosas a aquel espíritu crítico alentado por la propia Ilustración que está en la base de esa Modernidad. El lema de Kant —*sapere aude*— es el que sigue permitiendo a algunos hablar del *proyecto incompleto* que es todavía aquel que arrancó en el XVIII. Lo que nos ha interesado aquí es analizar de qué modo fue la misma Ilustración la que inició esa denuncia al empeñarse, pese a la misma razón ilustrada en este sentido, en completar el proyecto emancipatorio en que aquélla decía consistir. Uno de los terrenos en que esa denuncia adquiere mayor visibilidad es el que nos ha ocupado precisamente en este libro: el de la representación de las mujeres llevada a cabo por diversas escritoras en sus obras literarias. Denuncia que heredará el siglo XIX, como se constata en estos versos de 1846 escritos por una de las más fecundas poetas románticas, Carolina Coronado, en los que la autora entiende que la palabra "libertad", que da título al poema, continua escrita en masculino:

> "¡Libertad! ¿qué nos importa?
> ¿qué ganamos, qué tendremos?
> ¿un encierro por *tribuna*

y una aguja por *derecho*?
¡Libertad! pues ¿no es sarcasmo
el que nos hacen sangriento
con repetir ese grito
delante de nuestros hierros?
[...]
Los mozos están ufanos,
gozosos están los viejos,
igualdad hay en la patria,
libertad hay en el reino.
Pero os digo, compañeras,
que la ley es sola de ellos,
que las hembras no se cuentan
ni hay Nación para este sexo".

Siglo de profundos cambios en el orden de las costumbres, los discursos educativos se sucederán en el XVIII con ánimo en muchos casos de rectificar esas transformaciones. En España algunas mujeres de clases altas empiezan en ese momento a participar de un incipiente consumismo que exhiben luego sin reparos en el escaparate social de los paseos, teatros, óperas o tertulias. Esta es la causa según algunos de la honda crisis de la institución matrimonial al descuidar esas mujeres sus *naturales* deberes domésticos. En otro orden, se entiende también que ese dispendio provoca serias dificultades a la propia economía española debido a la excesiva importación de productos extranjeros, en especial franceses. Desde un punto de vista distinto, puede decirse sin embargo que muchas de esas mujeres pudieron resarcirse de la pata quebrada y la casa, y divertirse como quisieron. Añádase a ello la progresiva incorporación de otras mujeres al mundo de la cultura, de las letras, de la lectura y la escritura que encuentra en los salones parisinos una de sus más atractivas manifestaciones ya desde fines del XVII. "Estados dentro del Estado" fueron denominados aquellos espacios a caballo entre lo público y lo privado, promovidos y dirigidos con inteligencia, sensibilidad y ciertas dosis de ironía y subversión por numerosas damas de la aristocracia y alta burguesía, que vieron desfilar por ellos a políticos, filósofos, artistas, escritores..., y en su momento, a la plana mayor de la *Enciclopedia*. No fueron pocos los que arremetieron contra esas *salonnières* que, a su juicio, feminizaban peligrosamente la alta sociedad francesa. Probablemente eso no podía decirse en España de los salones que aquí existieron, por la sencilla razón de que éstos fueron de distinto signo a los del país vecino, quizás menos relevantes, menos atrevidos, al menos hasta lo que se nos alcanza, puesto que esos salones —entre otros, el de la condesa de Sarria, la condesa-duquesa de Benavente, la condesa de Montijo o la duquesa de Alba— están todavía por estudiar en profundidad, cosa que debería hacerse ya con urgencia para desmentir o confirmar esa diferencia.

Lo que sí conocemos de modo más preciso es la labor que llevaron a cabo las mujeres de la Junta de Damas de Honor y Mérito, la institución dependiente de la Sociedad Económica Matritense que, como otras muchas que nacieron en el XVIII, devino una de las plataformas principales del reformismo ilustrado. No fue fácil la constitución de aquella Junta, cuyas mujeres lucharon primeramente porque se las admitiese en la Matritense, de la que estaban excluidas oficialmente. Debe subrayarse la labor social que, una vez establecida, realizaron desde la Junta, entre otras, la condesa de Montijo o la condesa-duquesa de Benavente, atendiendo a diversos colectivos marginados del Madrid del momento. Fundamental valor presentan para la historia de las mujeres en España los numerosos informes —entre ellos el militante de una de las mujeres más brillantes del XVIII español, Josefa Amar y Borbón— que, previos a la conformación de la Junta, vieron la luz en la prensa de entonces, y en los que se defendía o negaba la oportunidad de la participación femenina en la Matritense.

Esos informes integran las dos construcciones de la mujer que recorren el XVIII, ambas de capital importancia en los siglos venideros. Una habla de la mujer como del complemento del hombre, basándose en una idea de diferencia natural o racional entre los sexos. No es muy nuevo, la verdad, lo que le toca a la mujer en el reparto: su especial sensibilidad la conduce al mundo de lo doméstico y lo privado. Las ideas de Rousseau y de otros muchos establecen en este aspecto lo que la progresiva y recalcitrante misoginia del XIX llamará "ama de casa" o "ángel del hogar". La otra construcción sigue defendiendo, aún con dificultades, esa complementariedad, pero lo importante es que lo hace ahora superando el argumento biologicista y amparándose en una cuestión de necesidad social. Por eso muestra especial insistencia en la igualdad natural, racional, entre hombres y mujeres por lo que respecta al *batidero* mayor de la cuestión: el entendimiento. Poulain de la Barre había iniciado este discurso en el XVII, cuyos continuadores serán en el XVIII, entre otros, el marqués de Condorcet y D'Alembert. España no permanece al margen y en 1726, sorprendentemente un clérigo benedictino se erige en el abanderado del discurso de la igualdad entre los sexos: Benito Jerónimo Feijóo. Su *Defensa de la mujeres* se convertirá en el intertexto básico de todas las escritoras españolas de fin de siglo que lucharán sin ambages por la restitución de la dignidad intelectual de las mujeres insistiendo en la idea, repetida hasta la saciedad, de que el alma carece de sexo.

Lo que debe subrayarse es que por vez primera en la historia española, un colectivo laico nada desdeñable de mujeres, de clases medias y altas, se incorpora a fines del XVIII al mundo de las letras, cultivando todos los géneros literarios del momento. Ninguna de ellas ignorará su propia condición de mujer a la hora de escribir, como es palmario en sus obras y, en especial, en los significativos prólogos o epílogos que acompañan a éstas; auténticos manifiestos de una conciencia política que reclama de modo explícito o implícito su participación en la historia. Las estrategias discursivas a que todas ellas recurren para justificar su escritura son índice de que la normalidad no ha llegado aún a la literatura. La retórica de la humildad se les impone en muchas ocasiones. Se trata de restar valor a sus propios escritos considerándolos, bien hijos de la inspiración divina pero nunca de una formación adquirida, o bien meros entretenimientos que las han distraido de peligrosas ociosidades. El mismo sentido tiene la mención al amigo que las ha impulsado a publicar: un poco obligadas, pues, se sienten disculpadas. En cualquier caso, todas ellas dejan establecido con diafanidad que su dedicación a la pluma no les ha hecho olvidar la dedicación a la aguja. Ahora bien, en autoras como Josefa Amar, Inés Joyes, Rosa Gálvez o Margarita Hickey, entre otras que aquí se han mencionado, toda esta retórica va acompañada de un discurso que desvela el orgullo de quien sabe que tiene algo que decir y medios suficientes para decirlo. Escribir e incluso publicar o ver representadas sus obras fue para ellas una cuestión de necesidad y de valor.

Todo ello explica que un tema preferente en sus textos fuera la misma condición femenina. Es el caso desde luego de Josefa Amar, escritora de un género que nace precisamente en el XVIII y que, en principio, no debía considerarse por muchos especialmente femenino: el ensayo, el ámbito por excelencia de la crítica y la razón. Su *Discurso sobre la educación física y moral de las mujeres* fue uno de los más rigurosos que vieron las letras españolas del XVIII por lo que respecta a la cuestión recogida en el mismo título. La misma consideración merece su *Discurso en defensa del talento de las mujeres*, una reflexión sin concesiones acerca de la igualdad de los sexos. De la misma virulencia que este último es el texto que añade Inés Joyes a su traducción de la novela de Samuel Johnson, *El Príncipe de Abisinia*, cuya historia cuenta, por otro lado, con el protagonismo de dos mujeres que no acaban de encajar en la imagen femenina convencional y por las que la traductora debió sentirse con probabilidad atraída. Por su parte, la poesía de Margarita Hickey se inscribe dentro de una tradición bucólica y pastoril, cuyo idealismo ha permitido desde siempre a sus personajes femeninos ciertas licencias, como aquella conocida defensa de la libertad en boca de Marcela, la pastora cervantina. El tema único de los versos de Hickey es, de hecho, la defensa de esa libertad. Por lo que respecta a Rosa Gálvez, se encuentra en sus comedias y tragedias una mayor variedad temática pero, en última instancia, las reflexiones sobre la mujer a través de los personajes femeninos de su teatro, muchos de los cuales dan título a las obras, ocupan en muchos casos un primer plano. Mujeres todas ellas que escribieron desde la conciencia tan dieciochesca de que la literatura tenía una responsabilidad moral y educativa para con la sociedad. Ellas también quieren transmitir una enseñanza que, en su caso, pasa por matizar determinadas imágenes de la mujer, en especial aquellas que las señalan como causa última de la decadencia de las costumbres. En muchos de sus textos, las mujeres son más bien víctimas de una sociedad que no ha sido creada por ellas. Podría hablarse en este sentido del diálogo que entablan esas escritoras con cierta tradición en la que no acaban de verse reconocidas del todo: de ahí la relectura de la propia sociedad contemporánea, pero también de la historia pasada o del mismo texto bíblico.

La Guerra de la Independencia cierra un período de la historia de España, clausura por muchos años el espíritu de las luces, desde el cual y pese a las sombras que lo acompañaron, muchas mujeres pudieron incorporarse al mundo de la literatura en el que fueron, pues, conocidas y reconocidas. Más tarde la historia se encargará de borrar todas sus huellas. Desmemoria que se extiende hasta la actualidad. Las escritoras españolas del XVIII avanzaron en el camino abierto por la razón ilustrada, quisieron que esa razón las iluminase también a ellas. No se dieron cuenta, no obstante, de que ellas mismas limitaban la luminosidad. O tal vez sí, como cuando se veían obligadas —como le ocurrió a Feijóo— a seguir apelando a la instancia divina para justificar lo que la propia razón no podía: el desigual reparto de papeles sociales. Estas fueron las otras limitaciones de la razón ilustrada: las que protagonizaron en este caso aquellas mujeres entregadas con vehemencia, sin embargo, a ampliar el campo de aplicación de esa razón. Sea como sea, importa subrayar su defensa de una igualdad sobre la que se estaba fundamentando ya a finales del XVIII uno de los pensamientos y movimientos sociales vertebradores de la Modernidad, el relativo a los derechos de las mujeres que, en sus formas más decisivas, reivindicativas y eficaces se llamará "feminismo". Si de algo son conscientes muchas mujeres del XVIII es de la paradoja de la propia Razón ilustrada que, en la práctica, desdice su pretendida universalidad. Por eso la Ilustración, entienden, debe curarse con más Ilustración. También las españolas lo creyeron así pese a no haber sabido, o podido más bien, curarla en mayor grado. Muchas veces más tímidas o recatadas —o con más necesidad de disimulo—, en ocasiones más atrevidas o audaces, en conjunto todas supieron que la historia ya no podía ni debía escribirse sin ellas.

OBRAS CITADAS

ÁLVAREZ BARRIENTOS, J., *La novela del siglo XVIII*, en *Historia de la literatura española*, 28, ed. R. de la Fuente, Madrid, Júcar, 1991.

AMORÓS, C., *Tiempo de feminismo. Sobre feminismo, proyecto ilustrado y postmodernidad*, Madrid, Cátedra, 1997.

BADINTER, E., *¿Existe el amor maternal? Historia del amor maternal. Siglos XVII al XX*, Barcelona, Paidós, 1981.

BOLUFER, M., "Ciencia e ideología: Notas sobre la contribución de la medicina a la exaltación de la privacidad en el siglo XVIII", en *Las mujeres en Andalucía*, coord. Mª T. López Beltrán, Servicio de Publicaciones de la Diputación Provincial de Málaga, 1993, pp. 171-187.

—*Mujeres e Ilustración. La construcción de la feminidad en la España del siglo XVIII*, València, Diputació de València, Institució Alfons el Magnànim, 1998.

— "Inés Joyes y Blake: una ilustrada, entre privado y público", en *Mujeres para la historia. Figuras destacadas del primer feminismo*, coord. Rosa María Capel, Madrid, Abada Editores, 2004, pp. 27-55.

BORDIGA GRINSTEIN, J., "Panorama de la dramaturgia femenina española en la segunda mitad del siglo XVIII y principios del siglo XX", *Dieciocho*, 25.2, Fall, 2002, pp. 195-218.

—*La rosa trágica de Málaga: Vida y obra de María Rosa de Gálvez*, Anejos de *Dieciocho* 3, 2003 [Con documentos]

CAINE, B./SLUGA, G., *Género e Historia. Mujeres en el cambio sociocultural europeo, de 1780 a 1920*, Madrid, Narcea, 2000.

CARO BAROJA, J., "Sobre trajes, costumbres y costumbrismo", en *Carlos III y la Ilustración*, 2 vols, Madrid, Ministerio de Cultura, 1988, vol. I, pp. 215-224.

CERVANTES, M.de., *Don Quijote de la Mancha*, ed. Martín de Riquer, Barcelona, Planeta, 1980.
CIENFUEGOS, BEATRIZ., [1763-1764], *La Pensadora Gaditana*, ed. antológica de Cinta Canterla, Servicio de Publicaciones de la Universidad de Cádiz, 1996.
CORONADO, C., [1846] "Libertad", *Poesías* [1852], en *Antología poética de escritoras del siglo XIX*, ed. S. Kirkpatrick, Madrid, Castalia, 1992.
CRAVERI, B., *La cultura de la conversación*, Madrid, Siruela, 2003.

DE LA CRUZ, Sor Juana Inés., [1689] "Sátira filosófica" en *Obra selecta*, ed. L. Sainz de Medrano, Barcelona, Planeta, 1987.
DEACON, Ph., "Vicente García de la Huerta y el círculo de Montiano: La amistad entre Huerta y Margarita Hickey", *Revista de Estudios Extremeños*, XLIV, 2, 1988, pp. 395-421.
DEMERSON, P., *María Francisca de Sales Portocarrero (Condesa de Montijo). Una figura de la Ilustración*, Madrid, Editora Nacional, 1975 [Con documentos].
DIDEROT/D'ALEMBERT, [1751-1765], *Artículos políticos de la Enciclopedia*, Barcelona, Altaya, 1994.
DUHET, P-M., *Las mujeres y la Revolución (1789-1794)*, Barcelona, Península, 1974.

FEIJÓO, B. J., [1726], "Defensa de las mujeres", I, discurso XVI, *Teatro Crítico Universal* en *Defensa de la mujer*, ed. V. Sau, Barcelona, Icaria, 1997.
FERNÁNDEZ QUINTANILLA, P., *La mujer ilustrada en la España del siglo XVIII*, Madrid, Ministerio de Cultura, 1981 [Con documentos].
FRAISSE, G., *Musa de la razón. La democracia excluyente y la diferencia de los sexos*, Madrid, Cátedra, 1991.

GALERSTEIN, C. L. (ed)., *Women Writers of Spain: An annoted Bio-Bibliographical Guide*, New York, Greenwood Press, 1986.
GARCIA GARROSA, Mª J., "Mujeres novelistas españolas en el siglo XVIII", *I Congreso Internacional sobre novela del siglo XVIII*, ed. F. García Lara, Servicio de Publicaciones de la Universidad de Almería, 1998, pp. 165-176.
GÓMEZ DE AVELLANEDA, G.,[1841] *Sab*, ed. J. Severa, Madrid, Cátedra, 1997.
GOULD LEVINE, L./ENGELSON MARSON, E./WALDMAN, G. (eds)., *Spanish Women Writers: A Bio-Bibliographical Sourcebook*, New York, Greenwood Press, 1993.

HORKHEIMER, M./ADORNO, T. W., *Dialéctica de la Ilustración*, Madrid, Trotta, 2003.

JOVELLANOS, G. M., [1788] "Elogio de Carlos III" y [1786] "Sátira I. A Arnesto", en *Poesía. Teatro. Prosa Literaria*, ed. J.H.R.Polt, Madrid, Taurus, 1993.

KANT, I., [1784] "Respuesta a la pregunta: ¿Qué es la Ilustración?", en *¿Qué es la Ilustración?*, Estudio preliminar de Agapito Maestre, Madrid, Tecnos, 1988, pp. 9-17.

LAFARGA, F., *Voltaire en España*, Edicions Universitat de Barcelona, 1982.

LÓPEZ CORDÓN, Mª. V. (ed)., Josefa Amar y Borbón, *Discurso sobre la educación física y moral de las mujeres*, Madrid, Cátedra, 1994. Introducción, pp. 7-52.

MARAVALL, J. A., *Estudios de la historia del pensamiento español (siglo XVIII)*, ed. Mª C. Iglesias, Madrid, Mondadori, 1991.

MARTIN GAITE, C., *Usos amorosos del dieciocho en España*, Barcelona, Anagrama, 1987.

NEGRIN FAJARDO, O., *Ilustración y Educación. La Sociedad Económica Matritense*, Madrid, Editora Nacional, 1984 [Con documentos]

PAJARES, E., "Censura y nacionalidad en la traducción de la novela inglesa", en *La traducción en España (1750-1830). Lengua, literatura, cultura*, ed. F. Lafarga, Ediciones de la Universitat de Lleida, 1999, pp. 345-352.

—"Contra las *Belles infidèles*: La primera traducción al español del *Rasselas* de Samuel Johnson", *Trans*, 4, 2000a, pp. 89-99.

— "Inés Joyes y Blake, feminista ilustrada del XVIII", *Boletín de la Biblioteca Menéndez Pelayo*, LXXVI, 2000b, pp. 181-192.

PALACIOS FERNANDEZ, E., *La mujer y las letras en la España del siglo XVIII*, Madrid, Ediciones del Laberinto, 2002.

PÉREZ ANTELO, Mª R., "María Luisa de Parma: una iconografía maldita", en *Las mujeres en Andalucía*, coord. Mª T. López Beltrán, Servicio de Publicaciones de la Diputación Provincial de Málaga, 1994, pp. 225-245.

PÉREZ CANTO, P., "¿Mujeres o ciudadanas?", en *Autoras y protagonistas*, eds. P.Pérez Cantó y E.Postigo Castellanos, Instituto Universitario de Estudios de la Mujer, Universidad Autónoma de Madrid, 2000, pp. 193-218.

PULEO, A. H., *Condorcet, De Gouges, De Lambert y otros. La Ilustración olvidada. La polémica de los sexos en el siglo XVIII*, presentación Celia Amorós, Madrid, Anthropos, 1993, [Con documentos].

ROMERO MASEGOSA Y CANCELADA, M., [1792], *Cartas de una peruana. Escritas en francés por Mad. De Graffigni. Y traducidas al castellano con algunas corecciones, y aumentada con notas, y una carta para su mayor complemento*, Valladolid, Oficina de la Viuda de Santander, é Hijos, 1792.

RÍOS CARRATALA, J. A., "Nuevos datos sobre el proceso de V. García de la Huerta", *Anales de Literatura Española*, 3, 1984, pp. 413-427.

ROUSSEAU, J-J., [1762], *Emilio o De la educación*, ed. M. Armiño, Madrid, Alianza, 1990.

RUIZ GUERRERO, C., *Panorama de escritoras españolas*, Cádiz, Universidad de Cádiz, 1997, 2 vols.

SEMPERE Y GUARINOS, J., [1785-1798], *Ensayo de una biblioteca española de los mejores escritores del reinado de Carlos III*, Madrid, Imprenta Real, 1785-1798, (Facsímil, Madrid, Gredos, 1969, 2 vols).

SERRANO Y SANZ, M., [1903-1905], *Apuntes para una biblioteca de escritoras españolas desde el año 1401 al 1833*, Madrid, Sucesores de Rivadeneyra, 1903-1905, 4 vols. (Facsímil, Madrid, Atlas, 1975, 4 vols).

SULLIVAN,C. A., "A biographical note on Margarita Hickey" [reproducción del testamento de la autora], *Dieciocho*, 20.2, Fall, 1997, pp. 219-229.

—"Josefa Amar y Borbón and the Royal Aragonese Economic Society (With Documents)", *Dieciocho*, 15, 1-2, Spring/Fall, 1992.

—"Las escritoras del siglo XVIII", en *Breve historia feminista de la literatura española (en lengua castellana),* Coord. I.M.Zavala, IV: *La literatura escrita por mujer (De la Edad Media al s. XVIII),* Barcelona, Anthropos, 1997, pp. 305-330.

TORRAS FRANCES, M., *Tomando cartas en el asunto. Las amistades peligrosas de las mujeres con el género epistolar*, Prensas Universitarias de Zaragoza, 2001.

WOLLSTONECRAFT, M., [1792], *Vindicación de los Derechos de la Mujer*, ed. I. Burdiel, Madrid, Cátedra, 1996.

Obras de las escritoras españolas estudiadas

AMAR Y BORBÓN, JOSEFA, [1786], *Discurso en defensa del talento de las mujeres*, en O. Negrín Fajardo, *Ilustración y Educación. La Sociedad Económica Matritense*, Madrid, Editora Nacional, 1984.
—[1790], *Discurso sobre la educación física y moral de las mujeres*, ed. Mª V. López Cordón, Madrid, Cátedra, 1994.

GÁLVEZ DE CABRERA, Mª ROSA, [1804], *Obras poéticas*, 3 vols. Madrid, Imprenta Real, 1804.
—[1804-1805], *Safo. Zinda. La familia a la moda*, ed. F. Doménech, presentación J.A. Hormigón, Madrid, Asociación de Directores de Escena de España, 1995.
—[1804], *Safo*, ed. D.S. Whitaker, *Dieciocho*, 18, 1995, pp. 189-210.
— [1805], *La familia a la moda*, ed. R. Andioc, Salamanca, Universidad de Salamanca, Universidad de Cádiz, 2001.
[Puede leerse la obra completa de Rosa Gálvez en Biblioteca Virtual Miguel de Cervantes: www.cervantesvirtual.com]

HICKEY, MARGARITA, [1789], *Poesías varias sagradas, morales y profanas ó amorosas: con dos poemas épicos en elogio del Capitán General D. Pedro Cevallos*, Tomo I, Madrid, Imprenta Real, 1789.
[Puede leerse la obra Hickey en Biblioteca Virtual Miguel de Cervantes: www. cervantesvirtual.com].

JOYES, INÉS, [1798], *'El Príncipe de Abisina', novela traducida del inglés por Doña Inés Joyes y Blake, va inserta á continuación una apología de las mugeres en carta original de la traductora a sus hijas*, Madrid, Imprenta de Sancha, 1798.

ÍNDICE